코칭으로,
길을 묻다

[STIGMA 크리스천 코칭]

코칭으로, 길을묻다(STIGMA 크리스천 코칭)

발 행 | 2024년 8월 1일
저 자 | 손용민
펴낸이 | 한건희
펴낸곳 | 주식회사 부크크
출판사등록 | 2014.07.15.(제2014-16호)
주 소 | 서울특별시 금천구 가산디지털1로 119 SK트윈타워 A동 305호
전 화 | 1670-8316
이메일 | info@bookk.co.kr

ISBN | 979-11-410-9682-3

코칭으로,
길을 묻다

[STIGMA 크리스천 코칭]

손용민 지음

CONTENT

추천사

코로나 사태만 끝나면, 모든 것이 좋아질 줄 알았습니다. 잃었던 일상도 회복되면서, 힘들었던 시절도 끝날 줄 알았습니다. 하지만 막상 뚜껑을 열어보니, 그렇지 않았습니다. 지난 3년간 정신건강에 준 여파는 지금도 계속되고 있습니다. 게다가 기대했던 만큼 일상이 회복되지 않다 보니, 정신적으로 더 무너지고, 특별히 삶의 의미를 찾지 못하는 사람들이 더 많아지고 있습니다.

이러한 상황에서 우리 사회의 정신적 회복을 위해서 무엇이 필요할까요? 바로 코칭입니다. 코칭은 인생에 관해 스스로 묻고 답변하면서 자신의 문제를 발견하고 해결책을 구상하는 것을 목표로 하기 때문입니다. 물론 역사를 보면, 코칭의 대가들이 많이 있습니다. 하지만 그중에서도 최고의 코치는 바로 예수님입니다. 성경을 보면, 예수님은 제자들과 사람들에게 끊임없이 질문하셔서 더 나은 인생을 찾아가도록 이끄시기 때문입니다.

그래서 예수님의 코칭을 모델로 만들려는 시도가 계속 있었고, 여러 책이 나왔습니다. 그러나 수많은 책 중에서, 저는 이 책을 꼭 보라고 추천하고 싶습니다. 이 책의 STIGMA 크리스천 코칭 모델은 예수님의 위대한 흔적을 쉽게 이해하고 따라갈 수 있도록 구성되어 있기 때문입니다. 이 책을 잘 보고, 지침대로 잘 실습하면서 배우면, 자연스럽게 예수님의 마음을 느끼면서 코칭으로 인생의 길을 찾을 수 있을 것입니다.

저는 이 책이 예수님의 가르침을 오늘날에 잘 적용하고 싶은 교회에 많은 도움을 줄 수 있을 것이라 확신합니다. 그러나 저는 이 책이 교회를 넘어서 우리 사회 안에 전반적으로 활용되기를 진심으로 기대합니다. 그래서 예수님의 마음이 우리 사회 안에 자연스럽게 흘러 들어가고, 예수님의 마음으로 우리 사회가 더 행복해지기를 기대합니다. 잘 활용하면, 분명히 그런 변화가 일어날 것입니다. 이 책이 교회의 부흥과 성장을 넘어, 이 사회의 정신건강을 좋게 만드는 마중물이 되기를 바라며, 기쁘게 추천합니다.

CBS 기독교방송 제31대 재단이사장
기독교대한감리회 안산 꿈의교회 담임목사 김학중

머리말

먼저 이 책을 쓰도록 허락해 주신 하나님께 모든 영광을 올립니다.

이 책은 필자가 이 땅의 크리스천들을 위해 (사)한국코치협회(KCA)의 8가지 핵심역량을 녹여낸 KAC 코치 자격취득인증 프로그램(ACPK01277)으로써, 부족하나마 하나님 나라를 확장하는 데 소통의 도구로 활용되기를 기대하며 집필하였습니다.

21세기에 들어서서 리더십의 중요성은 더욱 절실해졌으며, 이를 해결할 코칭은 상담과 멘토링을 넘어서 구체적이고 미래 지향적인 접근 방식으로, 모든 분야에서 소통과 성장을 위한 전략적 도구의 역할을 하고 있습니다.

이때 크리스천 코칭은 성경적 원리에 기반을 둔 실천적인 방법으로, 성경에서 보듯이 하나님께서는 코칭으로 전사적인 운동을 지휘하심으로써, 우리가 하나님의 은혜와 사랑을 더 깊게 이해하고 실천하도록 인도하실 것입니다.

성경에서 예수님은 그 자체로 위대한 코치였으며, 그분의 방식은 오늘날 우리가 교회와 일상에서 채택해야 할 코칭의 모범입니다. 예수님은 많은 질문을 통해 제자들과 많은 사람이 스스로 통찰하고 회개하게 하였습니다. 그러므로 코칭은 교회 사역에서 교역자와 성도 간의 상호작용을 통해 교회의 생명력을 증진하고 성도들이 서로를 지원하며 성장할 수 있는 소통 환경을 조성합니다.

시대와 함께 진화하는 크리스천 리더의 역할에 대해서도 다룹니다. 전통적인 교사, 상담자, 영적 멘토를 넘어서서, 리더는 코치로서 성도의 전인격적 성장을 돕고, 다양한 삶의 영역에서 긍정적 변화를 끌어내는 라이프 코치로 활동해야 합니다. 이러한 역할의 전환은 교회와 성도들의 성장에 중요한 전략이 됩니다.

필자는 코칭을 시작한 지 10년 만에 필그림웨이브(PILGRIM WAVE)를 창업하였습니다. 필그림(PILGRIM)은 순례자, 웨이브(WAVE)는 파동의 뜻으로 예수님과 함께 마차를 타고 먼 여행을 떠나면서 코칭으로 영향력을 전파하며 궁극적으로 하나님 나라를 확장한다는 의미를 담고 있습니다. 이러한 의미는 더욱 가슴을 설레게 합니다.

이 책 "코칭으로, 길을 묻다"의 스티그마(STIGMA) 크리스천 코칭 모델은 예수님의 흔적을 쫓아 거룩함으로 나아갑니다. STIGMA 코칭 모델은 기도와 말씀을 근거하여 구성하였고 "내가 내 안에, 내가 네 안에" 존재하시는 삼위 하나님께서 역사하셔서 예수 그리스도의 십자가 구원의 복음을 코칭으로 증거하여 하나님의 나라를 땅끝까지 확장하는 증인된 삶을 살도록 변화하는 데 초점이 맞추어져 있습니다.

코치로서의 예수님은 힘들고 어려운 사람, 병든 사람을 보면 그 즉시 코칭해주시고 병도 고쳐주셨으므로, 이 코칭 모델은 예수님의 가르침대로 삶 속에서 고민이나 어떤 상황에 처해있는 사람을 보면 현장에서 즉시 코칭하는 것입니다.

자극과 반응 사이의 이 내적공간 안에는 잠깐 멈춤과 성찰, 그리고 침묵이 있습니다. STIGMA 코칭 모델의 "S"는 Step Back으로 잠깐의 멈춤이며, "T"(주제합의), "I"(영감), "G"(성장)을 통해 성찰하며, "M"(묵상)으로 잠깐의 침묵으로 하나님께 나아가며 "A"(행동)합니다. 이를 통해 삶과 교회의 변화와 성장을 이룰 수 있기를 기대하며 하나님의 도구로 잘 사용되기를 소망합니다.

기도해주시고 추천사를 써주신 꿈의 교회 김학중 담임목사님께 감사드립니다.
이 책을 집필하게 된 것에 감사하며 다시한번 하나님께 모든 영광 올립니다.

손용민 코치

크리스천 코칭

주제 말씀

너희는 이 세대를 본받지 말고
오직 마음을 새롭게 함으로 변화를 받아
하나님의 선하시고 기뻐하시고 온전하신 뜻이
무엇인지 분별하도록 하라
(로마서 12:2)

사랑하는 자들아 우리가 서로 사랑하자
사랑은 하나님께 속한 것이니
사랑하는 자마다 하나님께로 나서 하나님을 알고
사랑하지 아니하는 자는 하나님을 알지 못하나니
이는 하나님은 사랑 이심이라
(요한일서 4:7-8)

'내가 내 몸에 예수의 흔적을 지니고 있노라.'

(갈6:17)

그런즉 누구든지 그리스도 안에 있으면 새로운 피조물이라
이전 것은 지나갔으니 보라 새것이 되었도다
(고린도후서 5:17)

제1장 코칭의 일반적 이해

코칭이라는 용어를 들었을 때, 머릿속에 가장 먼저 떠오르는 단어는 무엇인가? 아마도 골프장의 선수와 그의 코치, 테니스 코트에서 지시를 내리는 코치, 또는 프로야구 투수와 그의 코치의 모습일 것이다. 이처럼 스포츠 코칭은 많은 이들에게 익숙한 개념이다. 그러나 코칭은 스포츠 분야에 국한되지 않는다. **현재, 비즈니스, 라이프, 커리어, 학습 그리고 기독교 코칭 등 다양한 분야에서 코칭의 중요성이 부각되고 있다.**

 1) **1980년대 초,** 기업들의 조직문화와 리더십에 대한 인식이 크게 바뀌면서, 코칭이 비즈니스 세계에 서서히 도입되기 시작했다. 1990년대 중반에 들어서면서, 비즈니스 코칭은 그 중요성과 영향력을 점차 확대해 나갔다. 이러한 코칭은 리더들의 성장을 돕고, 조직의 발전을 촉진하는 데 중추적인 역할을 하게 된다.

 2) **또한, 기독교 코칭이란 개념도 주목받기 시작했다.** 기독교 코칭은 신앙과 삶의 교통점에서, 개인의 성장과 교회의 발전을 위해 적용되는 방법론이다. 기독교적 가치를 중심으로, 개인의 목표 달성과 교회의 비전 실현을 도모한다.

3) 스포츠 코칭, 비즈니스 코칭, 라이프 코칭, 커리어 코칭, 그리고 학습코칭, 기독교 코칭, 이 모든 분야의 코칭은 각각의 목적과 방법론이 다르지만, 핵심적으로 개인이나 집단의 성장과 발전을 도모하는 공통의 목표를 가지고 있다. 이를 이해하고 적용하기 위해서는 코칭의 깊은 역사와 배경을 함께 파악하는 것이 중요하다.

1 코칭의 어원과 역사

1) 코칭의 어원

코칭은 1500년대 헝가리 도시 '콕스(Kocs)'에서 만들어진 네 마리의 말이 끄는 '마차'에서 유래되었다. 당시 유럽 전역으로 퍼진 이 마차(Coach)는 콕시(kocsi) 또는 코트드지(kotdzi)라는 명칭으로 불려졌고 이의 영국 발음인 코치가 정착되었다.

이 마차(Coach)는 사람들을 한 장소에서 다른 장소로 안전하게 이동시키는 역할을 했다. 이러한 의미에서, 마차는 사람들을 한 상태나 위치에서 더 바람직한 다른 상태나 위치로 이동시키는 도구로 볼 수 있다.

시간이 지나면서 "코치(Coach)"라는 단어는 교육 분야에서 학생이나 학습자를 한 지식수준에서 더 높은 수준으로 이끄는 교사나 지도자를 의미하는 용어로 사용되게 되었다. 그리고 더 나아가 스포츠, 비즈니스, 개인적 발전 등 다양한 분야에서 전문적인 지원이나 지도를 제공하는 사람을 가리키는 용어로 널리 쓰이게 되었다.

2) 코칭의 역사

코칭의 역사를 연대순으로 좀 더 상세하게 나열하면 다음과 같다.

(1) 고대 문명 (약 BC 500년대 - AD 500년대)

고대 그리스에서 철학자들, 특히 소크라테스는 학생들과의 대화를 통해 그들의 생각을 끌어내는 방법을 사용했다. 이것은 현대의 코칭과 유사한 방식으로 볼 수 있다. 로마, 인도, 중국 등 여러 고대 문명에서도 지도자나 스승들이 지식과 지혜를 전달하는 역할을 수행하였다.

(2) 중세 (약 AD 500년대 - 1500년대)

수도원과 교회가 교육의 중심이었으며, 스승과 제자 관계가 교육과 정신적 성장의 핵심 요소였다. 중세 유럽의 기사들도 수련과 교육을 받는 과정에서 멘토와의 관계를 중요시하였다.

(3) 르네상스 (약 14-17세기)

인간의 개인적 가치와 권리가 중요시되면서 개인 지도와 교육의 중요성이 강조되며 예술, 과학, 문학 등 다양한 분야에서 멘토링이 활발히 이루어졌다.

(4) 19세기

산업혁명으로 조직과 기업이 복잡해지면서 내부에서의 교육, 훈련, 지도의 필요성이 증가하였다. 1860년 영국 옥스퍼드 대학교에서 학생들을 지도하는 개인 교사를 코치라고 부르기 시작했다(탁진국, 2019)

(5) 20세기

스포츠 코칭의 개념이 강조되기 시작하며, 그 원칙과 방법론이 다른 분야, 특히 비즈니스 세계에 도입되기 시작했다. 1980년대는 기업들이 조직 문화와 리더십 패러다임의 변화를 경험하면서, 코칭이 조직 내에서 핵심 역량으로 인식되기 시작했다. 또한 1990년대 - 2000년대는 코칭 분야의 전문화와 기관화가 가속화되었으며 다양한 코칭 기법과 방법론이 개발되었고, 대표적으로 미국 켄터키 렉싱턴에 본부를 둔 1995년 국제코칭연맹(ICF)이 창설되었다.

(6) 21세기 : 2000년이후

2003년 한국의 독자적 코칭대표기관인 (사)한국코치협회 등 전문 기관들이 설립되었고, 국제코칭연맹(ICF)은 전세계 147개국에 챕터를 두고 있다. 이에따라 라이프 코칭, 커리어 코칭, 비즈니스 코칭, 기독교 코칭 등 다양한 분야의 코칭이 활성화되었다. 현재 코칭은 전 세계적으로 다양한 분야에서 그 중요성과 효과를 입증하며 꾸준히 발전하고 있다.

다음은 분야별 코칭의 역사를 기술하였다

(1) 스포츠 코칭

스포츠 코칭의 역사는 고대 문명 시대부터 시작되어 현대에 이르기까지 다양한 변화와 발전을 거쳐왔는데 고대 그리스의 올림픽 게임 시대로 거슬러 올라갈 수 있다. 그 당시, 경기자들은 물리적 기술과 전략을 개발하기 위해 지도자의 지도를 받았다. 이들 지도자는 현대의 코치와 유사한 역할을 수행했다.

가. 중세 및 근세 시대에는 기사 훈련과 결투대회에서 코치가 중요한 역할을 했다. 기사들은 무기 다루기, 기병술, 그리고 전략에 대한 교육을 받았다.

나. 19세기에 들어, 스포츠가 조직적으로 이루어지기 시작하면서 전문 코치의 필요성이 부각되었다. 1880년경 조정 경기 지도자인 코치가 선수들이 좋은 성적을 낼수 있도록 도와주고 이끌어 주는 행위를 지칭하여 코칭이라는 용어가 주로 스포츠 분야에서 사용되어 왔다(조은현, 탁진국, 2011).

다. 20세기에는 스포츠 과학과 의학의 발전에 따라 코칭의 방법과 전략이 과학적으로 접근되기 시작했다. 이를 통해 선수들의 물리적, 정신적 건강을 최적화하고, 최고의 성과를 내기 위한 훈련 방법이 연구되었다.

라. 현대에는 스포츠 코칭은 단순한 경기 지도를 넘어선, 선수의 전반적인 생활 습관, 심리적 안정, 그리고 팀 내의 인간관계 등 다양한 분야에서 지원이 이루어지고 있다. 또한, 전 세계적으로 스포츠 코칭 교육프로그램과 자격증 시스템이 정립되면서 코칭의 전문성이 더욱 강조되고 있다.

이처럼 스포츠 코칭의 역사는 스포츠의 발전과 함께 변화와 성장을 거듭해 왔다. 오늘날에는 다양한 스포츠 분야에서 전략, 기술, 심리 등 다방면의 지원을 제공하는 전문 코치들이 활동하고 있다.

(2) 비즈니스 코칭

현대적 의미의 코칭은 비즈니스 영역에서 시작되었다고 보면 된다. 비즈니스 코칭의 역사를 통해 코칭이 기업의 성장과 발전에 어떻게 기여했는지를 보면

가. 1980년대 초기, 1970년대부터는 조직에서 임원이나 관리자들의 업무 수행을 향상하도록 도움을 주는 방법으로 인정받다가 1980년대 이후 급속도로 성장하였다. 비즈니스 코칭이 처음 등장했을 때, 이것은 주로 최고경영진(CEO)이나 임원진에게 제공되는 서비스로 시작되었다. 예를 들면, IBM과 Xerox와 같은 대기업들은 선임 경영진들의 리더십 능력을 강화하기 위해 외부 코치를 초빙하기 시작했다.

나. 1990년대, 비즈니스 코칭은 점점 중간 관리진에게도 확대되기 시작했다. 예를 들어, GE의 이전 CEO 잭 웰치는 "Work-Out" 프로그램을 통해 팀 내의 의사결정 프로세스를 개선하려고 코치를 도입했다. 이를 통해 잭 웰치는 GE의 기업 문화와 조직 구조를 혁신적으로 변화시켰다.

다. 2000년대 초기, 비즈니스 코칭은 개별 리더나 팀뿐만 아니라 조직 전체의 변화를 위한 전략적 도구로 인식되기 시작했다. 예를 들면, Google은 직원들의 생산성과 창의력을 높이기 위해 내부 코칭 프로그램을 도입했다.

라. 현재, 기업들은 코칭을 통해 리더십, 팀워크, 의사결정, 갈등 해결 등 다양한 문제에 대한 해결책을 찾고 있다. 예를 들면, Microsoft는 디지털 변혁 시대에 조직의 유연성과 혁신 능력을 높이기 위해 코칭 문화를 강화하고 있다.

이처럼 비즈니스 코칭은 시간이 지남에 따라 다양한 기업의 다양한 요구에 대응하기 위해 발전해 왔다. 오늘날에는 대기업뿐만 아니라 중소기업, 스타트업 등 다양한 규모의 기업에서도 코칭의 중요성을 인식하고 적극 활용하고 있다.

(3) 라이프 코칭

라이프 코칭은 개인의 삶의 질과 목표 달성을 지원하는 전문적인 서비스로, 그 역사는 상대적으로 최근일 것이지만, 그 뿌리는 오래된 상담과 지도의 전통에 근거하고 있다. 라이프 코칭의 역사와 발전을 살펴보면,

가. 1960-1970년대는 현대 심리학과 상담학의 발전이 라이프 코칭의 초석을 마련했다. 이 시기, 다양한 인간의 발전과 변화에 관한 이론과 연구들이 등장하며, 사람들의 삶의 질과 행복에 대한 주목이 증가했다.

나. 1980년대는 개인의 성장과 개발에 집중하는 다양한 워크숍, 세미나, 훈련 프로그램이 등장했다. 이러한 프로그램들은 개인의 자아를 이해하고 목표를 설정하며, 그 목표를 향해 나아가는 방법에 중점을 두었다.

다. 1990년대는 라이프 코칭이 본격적으로 전문직업으로 자리 잡기 시작했다. 이 시기, 비즈니스 코칭과는 달리, 개인의 삶의 전반적인 부분에 초점을 맞춘 라이프 코칭이 본격적으로 주목받기 시작했다. Thomas Leonard와 같은 전문가들은 라이프 코칭의 전문 분야를 정립하며, 다양한 코칭 기관과 학교들이 설립되었다.

라. 2000년대~ 현재, 라이프 코칭은 전 세계적으로 빠르게 성장하며, 다양한 분야에서 전문 코치들이 등장하게 되었다. 라이프 코칭은 개인 삶의 전반에 걸쳐 다양한 목표와 도전에 대응하도록 설계된 방법론과 도구를 제공한다.

오늘날, 라이프 코칭은 전 세계적으로 인정받는 전문직업으로 자리 잡았으며, 많은 사람이 그 가치와 중요성을 인지하게 되었다. 그 결과, 라이프 코칭을 받기 위해 수많은 사람이 코치를 찾아가며, 라이프 코칭의 영역은 계속해서 확장되고 있다.

(4) 기독교 코칭

가. 기독교 코칭의 역사는 그 뿌리를 성경적 원칙과 가르침에 두고 있다. 기독교 코칭은 전통적인 코칭의 원칙과 기독교의 가르침과 가치를 융합하여 개인과 공동체의 성장과 변화를 도모하는 방식이다.

나. 그 역사와 발전을 간략하게 살펴보면, 성경에는 다양한 멘토링, 지도, 상담의 예시들이 나타난다. 예를 들면, 모세와 여호수아, 엘리와 사무엘, 바울과 디모데 등이 있다. 이러한 성경적 관계는 현대의 코칭 원칙과 유사한 면을 갖고 있다.

다. 따라서 중세 시대의 교회에서는 스승과 제자의 관계가 중요하게 간주하였다. 수도승이나 목사들은 신앙의 성장을 위해 제자들을 지도하였으며, 20세기 후반에는 기독교 분야에서 현대의 코칭 원칙과 방법론이 도입되기 시작했다. 몇몇 기독교 지도자들은 전통적인 목회와 상담에 코칭의 원칙을 통합하기 시작하였다.

라. 21세기, 기독교 코칭은 더욱 전문화되었으며, 다양한 기독교 코칭 교육프로그램과 인증 시스템이 구축되기 시작했다. 이 시기, 기독교 코칭은 목회, 선교, 리더십 개발, 개인의 신앙 성장 등 다양한 분야에서 활용되기 시작했다.

한국은 리더십 코칭(TCL Lnc.)회장인 **요셉 유미디 박사**가 2003년도 제1회 국제코칭리더십 컨퍼런스를 통해 한국교회에 기독교 코칭을 소개하였다. **"21세기의 리더십은 코칭에 있다 책, 강의, 세미나로는 리더가 세워질수 없다리더를 세우기 위해서 예수님께서 사용하신 방법 역시 코칭이었다"** 라고 역설하였다.

기독교 코칭은 전통적인 코칭의 방법론과 성경적 원칙을 통합하여, 개인의 신앙 성장, 교회나 단체의 발전, 그리고 선교와 사회적 영향력을 키우는 데 기여하고 있다. 이러한 방식으로, 기독교 코칭은 교회와 크리스천 커뮤니티에서 중요한 역할을 하고 있다.

이러한 코칭의 발전을 위하여 대표적인 코칭기관으로 국외는 국제코칭연맹(ICF), 한국은 (사)한국코치협회가 다음과 같이 창설되었다.

(1) 국제코칭연맹(ICF) 창설

가. ICF (국제코칭연맹: International Coaching Federation)의 역사는 1990년대 중반 코칭 분야의 급격한 성장과 함께 시작되었다. 1995년, 코칭 분야의 전문성과 신뢰성을 향상하고자 하는 비전을 공유하는 여러 코치가 모여 ICF를 창립하게 되었다. 그중에서 특히 Thomas Leonard는 ICF의 창립에 큰 역할을 했다고 알려져 있다. Thomas Leonard는 코치 훈련 프로그램과 코치의 역할에 대한 철학을 개발하는 데 중요한 역할을 했으며. 그의 리더십 아래, 초기 ICF 회원들은 코칭의 전문 직업으로서의 기준과 교육 기준, 그리고 인증 프로세스를 만들어 나갔다.

ICF는 빠르게 성장하여 전 세계적인 스코프를 갖게 되었고, 현재는 미국 켄터키 랙싱턴에 본부가 있으며 전 세계에서 147개 이상의 국가에 걸쳐 52,000명 이상의

회원을 가지고 있다. ICF의 끊임없는 노력으로 인해 코칭이 전문 직업으로서의 위치를 확고히 하는 데 큰 기여를 하였다.

나. 우리나라는 기업 임원코칭을 하였던 1세대 코치들 중심으로 2003년 6월에 국제코칭연맹 코리아지부를 설립하였고, 2008년도에 국제코칭연맹(ICF) 서울지부가 설립되었다. 서울에 지부로 있는 한국지부와 서울지부의 역할과 성격이 중복되었고, 정회원이 코치들에게 더 나은 서비스를 해주기 위해서 2018년에 두 개 지부가 하나의 지부로 통합하여 운영되고 있다. 통합 지부의 이름을 '국제코칭연맹 한국지부'로 하기로 했다.

현재 전 세계 6개 지역 중에서 일본, 중국 등과 같이 아시아태평양지역에 속해 있으며 Korea Chapter(한국지부)로 명칭하고 ACC 이상의 자격을 갖춘 400여 명의 글로벌 코치가 활동하고 있다.

(2) (사)한국코치협회 창설

(사)한국코치협회는 2003년도 12월에 창설되었으며 2000년도 초에 컨설팅과 리더십 관련 기관에서 코칭이 이미 도입되었다. 럭스 코칭, 리더십센터, 아시아코치센터, CMOE Korea가 미국의 코칭 프로그램을 한국기업에 도입하여 코칭하였다. LG전자가 2002년도부터 한국에서는 가장 먼저 임원 코칭을 시작하였다.

2023년은 (사)한국코치협회가 창설한 지 20주년이 되는 해이며, 국내 코칭 분야의 발전과 코치 전문가들의 교류와 연대를 위해 설립된 비영리 협회로, 코칭에 대한 전문성과 윤리성을 강조하며 다양한 교육과 프로그램을 제공하고 있다. **2024년 7월 기준 인증코치들은 15,000여 명을 넘어서고 있으며** 코칭인증프로그램도 다양한 분야에서 194개가 운영되고 있디, 이를 바탕으로 많은 기업, 관공서 등에서 코칭이 도입되어 진행되고 있다 .

2 ▷ 코칭의 정의

1) **(사)한국코치협회**는 "개인과 조직의 잠재력을 극대화하여 최상의 가치를 실현할 수 있도록 돕는 수평적 파트너십"으로 코칭을 정의한다. 줄탁동기(啐啄同機)라는 말이 있다. 병아리가 알에서 나오기 위해서는 새끼와 어미 닭이 안팎에서 쪼아야 한다는 의미로, 사람의 자아실현과 잠재력 개발을 위한 고객과 코치 사이의 파트너 관계를 코칭이라고 부연해 설명했다.

2) **국제코칭연맹(ICF)**은 "고객의 개인적, 전문적 기능성을 극대화시키기 위해 영감을 불어넣고 사고를 자극하는 창의적인 프로세스 안에서 고객과 파트너 관계를 맺는 것"으로 표현한다.

3) 코칭 분야의 선구자 중 한 명인 **John Whitmore(1937~2017)**는 그의 저서 "성과향상을 위한 코칭 리더십"에서 코칭을 "성과를 극대화 하기 위하여 개인의 잠재능력을 일깨워 주는 것이다. 가르치기보다는 스스로 깨닫도록 이른바 강력한 질문으로 도와주는 것이다"라고, 정의했다. 이를 통해 그는 개인의 자기 인식 및 자기 책임을 중점으로 강조하였다.

4) Timothy Gallwey는 그의 저서 ″Inner Game″에서 "코칭은 성과를 극대화하기 위해 묶여있는 개인의 잠재 능력을 풀어주는 것이다. 사람들이 코치의 가르침에만 의존하지 않고 스스로 배우도록 도와주는 것"이라는 의미로 말하였다.

5) 기독교 상담, 코칭 학계의 대부로 불리는 Gary Collins는 코칭을 그의 저서 "코칭 바이블"에서 "코칭은 한 개인이나 그룹을 현재 있는 지점에서 그들이 원하는 지점까지 갈 수 있도록 인도하는 기술이자 행위이다"로 정의하였다.

6) 필자의 Pilgrim Wave Coaching에서는 ″코칭은 코치와 고객이 함께 떠나는 자유로운 마차여행과 같다. 이 여행에서는 고객의 무한한 잠재능력을 깨닫게 하며, 스스로 길을 발견함으로써 목표와 성장을 이루어 낸다.″라고 일반적인 정의를 하고 있다.

이러한 다양한 접근 방식과 정의를 종합하면, 코칭은 개인이나 단체의 현재 상황에서 원하는 미래를 구축하는 데 도움을 주는 과정이라고 할 수 있다. **결국, 코칭은 코칭을 받는 사람이 스스로 답을 가지고 있다. 스스로 답을 찾아가도록 질문, 경청 그리고 피드백을 효과적으로 사용하는 대화법**이다. 상대를 지시하듯 그리고 가르치듯이 하는 것이 아니라 상대를 인정, 존중하며 칭찬하고 격려하면서 스스로 길을 찾도록 도와준다.

3 코칭철학과 윤리

1) 코칭 철학

(사)한국코치협회의 코칭철학은 한마디로 "고객의 내면에 답이 있다"이다.
고객 스스로가 자신의 사생활 및 직업생활에 있어 그 누구보다도 잘 알고 있는 전문가로서 존중하며 모든 사람은

- 창의적이고
- 완전성을 추구하고자 하는 욕구가 있으며
- 누구나 내면에 자신의 문제를 스스로 해결할 수 있는 자원을 가지고 있다고 믿고 있으며, 이 관점에 근거해 코치의 역할을 다음과 같이 정의한다.

    (1) 고객이 달성하려고 하는 목적을 발견하고, 명확하게 하고, 협력하는 것
    (2) 고객의 자기 발견을 촉진하는 것
    (3) 고객 스스로가 해결책이나 전략을 낳도록 이끄는 것
    (4) 고객 자신의 선택과 행동에 스스로 책임을 갖게 하는 것

참고적으로 **에노모토 히데다케(1994, 마법의 코칭 저자)의 코칭철학**은 다음과 같다.

    (1) 모든 사람에게는 무한한 가능성이 있다.
    (2) 그 사람에게 필요한 해답은 모두 그 사람 내부에 있다.
    (3) 해답을 찾기 위해서는 파트너가 필요하다.

2) 코치 윤리 실천

(1) 정의
    (사)한국코치협회에서 규정한 코치의 기본 윤리, 코칭에 대한 윤리, 직무에 대한 윤리, 고객에 대한 윤리를 준수하고 실천한다.(부록2 코치윤리규정 참조)

(2) 핵심 요소 및 행동 지표

가. 코치의 기본 윤리
    ① 코치는 (사)한국코치협회의 윤리규정에 준거하여 행동한다.

② 코치는 코칭이 고객의 존재, 삶, 성공, 그리고 행복과 연결되어 있음을 인지한다.

③ 코치는 고객의 잠재력을 극대화하고 최상의 가치를 실현하도록 돕기 위해 부단한 자기성찰과 끊임없이 공부하는 평생학습자(Life learner)가 되어야 한다.

④ 코치는 자신의 전문분야와 삶에 있어서 고객의 Role모델이 되어야 한다.

⑤ 코치는 국제적인 활동을 함에 있어 외국의 코치 윤리규정도 존중하여야 한다.

나. 코칭에 대한 윤리

코치는 코칭에 대한 윤리를 준수하고 실천한다.

① 코치는 코칭에 대한 전반적인 이해나 지지를 해치는 행위는 일절하지 않아야한다.

② 코치는 코치와 코치단체의 명예와 신용을 해치는 행위를 하지 않아야한다.

③ 코치는 고객에게 코칭을 통해 얻을 수 있는 성과에 대해서 의도적으로 과장하거나 축소하는 등의 부당한 주장을 하지 않아야한다.

④ 코치는 자신의 경력, 실적, 역량, 개발 프로그램 등에 관하여 과대하게 선전하거나 광고하지 않아야 한다.

⑤ 코치는 다양한 코칭 접근법(approach)을 존중한다. 코치는 다른 사람들의 노력이나 공헌을 존중한다.

⑥ 코치는 고객이 자신 이외의 코치 또는 다른 접근 방법(심리치료, 컨설팅 등)이 더 유효하다고 판단 될 때 고객과 상의하고 변경을 시행하도록 촉구한다.

⑦ 코치는 전문적 능력에 근거하며 과학적 기준 그리고 개인 정보 보호법 등 관련 법률에 준거하여 연구를 시행하고 보고서나 논문을 작성해야 한다

⑧ 코치는 연구를 시행할 때 관계자로부터 허가 또는 동의를 얻은 후 모든 불이익으로 부터 참가자가 보호되는 형태로 연구를 시행한다.

다. 직무에 대한 윤리

① 코치는 고객에게 항상 친절하고 최선을 다하며 성실하여야 한다.

② 코치는 자신의 능력, 기술, 경험을 정확하게 인식한다.

③ 코치는 진행에 지장을 주는 개인적인 문제를 인식하도록 노력한다. 필요할 경우 코칭의 일시 중단 또는 종료가 적절할지 등을 결정하고 고객과 협의한다.

④ 코치는 고객의 모든 결정을 존중한다.

⑤ 코치는 최초의 세션 이전에 코칭의 본질, 비밀을 지킬 의무의 범위, 지급 조건 및 그 외의 코칭 계약 조건을 이해하도록 설명한다.

⑥ 코치는 고객이 어느 시점에서도 코칭을 종료할 수 있는 권리가 있음을 알린다.

⑦ 코치는 고객, 혹은 고객이 될 가능성이 있는 사람에게 오해를 부를 우려가 있는 정보전달이나 충고를 하지 않는다.

⑧ 코치는 고객과 부적절한 거래 관계를 가지지 않으며 개인적, 직업적, 금전적인 이익을 위해 의도적으로 이용하지 않는다.

⑨ 코치는 고객이 고객 자신이나 타인에게 위험을 미칠 의사를 분명히 밝혔을 경우, 관련법대로 조치하며, (사)한국코치협회 윤리위원회에 전달하고 필요한 절차를 밟는다.

라. 고객에 대한 윤리

① 코치는 법이 요구하는 경우를 제외하고 고객의 정보에 대한 비밀을 지킨다.

② 코치는 고객의 이름이나 그 외의 고객 특정 정보를 공개 또는 발표하기 전에 고객의 동의를 얻는다.

③ 코치는 보수를 지급하는 사람에게 고객 정보를 전하기 전에 고객의 동의를 얻는다.

④ 코치는 코칭의 실시에 관한 모든 작업 기록을 정확하게 작성, 보존, 보관한다. 다만, 고객의 파기 요청이 있을 경우 즉시 파기하고 이를 고객에게 알려야 한다.

⑤ 코치는 자신과 고객의 이해가 대립되지 않게 노력한다. 만일 이해의 대립이 생기거나 그 우려가 생겼을 경우, 코치는 그것을 고객에게 숨기지 않고 분명히 하며, 고객과 함께 좋은 대처 방법을 찾기 위해 검토한다.

⑥ 코치는 코칭 관계를 해치지 않는 범위 내에서 코칭 비용을 서비스, 물품, 또는 다른 비금전적인 것으로 상호교환할 수 있다.

⑦ 코치는 코칭 관계를 해치지 않는 범위 내에서 코칭 비용을 서비스, 물품 또는 다른 비금전적 인 것으로 상호교환(barter)할 수 있습니다.

⑧ 고객과의 관계에 있어서 성차별적 표현이나 행동을 해서는 안된다

(3) 윤리규정에 대한 맹세

나는 전문코치로서 (사)한국코치협회 윤리규정을 이해하고 다음의 내용에 준수합니다.

1. 코치는 개인적인 차원뿐 아니라 공공과 사회의 이익을 우선으로 합니다.
2. 코치는 승승의 원칙에 의거하여 개인, 조직, 기관, 단체와 협력합니다.
3. 코치는 지속적인 성장을 위해 학습합니다.
4. 코치는 신의 성실성의 원칙에 의거하여 행동합니다.

만일 내가 (사)한국코치협회의 윤리규정을 위반하였을 경우, (사)한국코치협회가 나에게 그 행동에 대한 책임을 물을 수 있다는 것에 동의하며, (사)한국코치협회 윤리위원회의 심의를 통해 법적인 조치 또는 (사)한국코치협회의 회원자격, 인증코치자격이 취소될 수 있음을 분명히 인지하고 있다.

4 코칭과 다른 전문영역 간의 기법 비교

현장에서 활용되고 있는 코칭과 다른 전문영역들의 기법들을 좀 더 쉽게 비교하면 코칭의 개념이 좀 더 명확해진다. 아래 표를 보면 코칭은 상담, 컨설팅, 멘토

링, 티칭 등과는 다르다. **상담은 문제 해결에 초점을 두지만, 코칭은 현재와 미래 가능성(Possibilities)에 초점을 맞춘다.**

코칭과 다른 전문영역 간 비교

구 분	코칭 (Coaching)	상담 (Counseling)	컨설팅 (Consulting)	멘토링 (Mentoring)	티칭 (Teaching)
참가자 (전문가: 고객)	1 : 1	1 : 1	1(다수) : 1(다수)	1 : 1	1 : 다수
고객에 대한 인식	**성장과 발전의 주체**	치유의 대상	문제 해결의 대상	노하우 전수의 대상	학식 전달의 대상
고객의 자발성	**자발적 능동적**	수동적	수동적	수동적	수동적
참가자와 전문가의 관계	**수평적 (파트너십)**	수직적	수직적 또는 수평적	수직적	수직적
문제해결 주체	**고객**	상담전문가	컨설턴트	멘토	훈련 강사
문제해결 방식	**해결책 발견 지원 (질문 등)**	해결책 제시	해결책 제시	해결책 제시	해결책 제시
주목하는 시점	**현재와 미래**	과거와 현재	과거와 현재	현재	현재
Empowerment 정도	**최고 수준**	부분적	없음	없음	없음
커뮤니케이션 의 방향성	**쌍방향 커뮤니케이션**	주로 일방향 커뮤니케이션	주로 일방향 커뮤니케이션	주로 일방향 커뮤니케이션	주로 일방향 커뮤니케이션

<자료> 이소희(2008), pp.81-85; 조성진(2008), pp.65-70; (사)한국코치협회 발췌

위 표와 같이 상담은 과거의 상처 치유에 초점을 맞추지만, 코칭은 그것을 넘어 성장과 발전으로 미래로 나아가도록 돕는다. 무엇보다 중요한 것은 코칭은 고객이

스스로 문제의 해결책을 발견하도록 지원하여 자발적인 문제 해결로 보람과 자부심, 그리고 창조적 발전의 가능성이 커지지만, 다른 기법들은 고객에게 해결책을 제시로 수동적으로 되므로 상대적으로 효과가 덜 하다.

그러나 코칭중에 코칭으로 해결이 어려운 상황이 발생한다면 고객의 동의를 얻어 상담 등 적정한 전문가에게 연결해 주는 것도 중요한 코칭접근법이다. 만약, 코치가 코칭외에 상담, 컨설팅, 멘토링, 티칭을 적절하게 활용하려면 코칭적 접근이 필요하다.

5 코칭의 필요성

빠르게 변화하는 현대 비즈니스 환경에서 조직이나 기업이 민첩하게 대응하고 성장하기 위해서는 새로운 기술과 방법론에 대한 학습과 발전이 필수이다. 이러한 필요성은 코칭이 더욱 중요하게 강조된다. 이유는 코칭은 개인과 조직의 변화를 주도하며, 리더와 구성원 간의 소통을 원활하게 하고, 신뢰와 협력을 강화하기 때문이다.

또한, **4차 산업혁명과 같은 새로운 시대에 코칭은 인재상의 요구 사항도 변화시킨다.** 빠르게 진화하는 기술과 업무처리 방식에 대응하기 위해서는 창의적인 문제 해결 능력, 자기 주도적인 학습 태도, 그리고 변화에 대한 유연성과 적응력이 필요하다. 이러한 미래를 대비한 역량을 개발하기 위해 사람을 무한한 가능성의 인격체로 존중하고 질문, 경청, 피드백 역량을 장착한 코칭은 필수적인 역할을 한다.

그러므로 코칭은 현대 비즈니스 환경에서의 불확실성과 변화에 대응하며, 개인과 조직이 지속해서 성장하고 발전하기 위한 효과적인 방법으로 인식되고 있으며 교회 및 조직도 마찬가지 맥락에서 변화해야 한다. 이는 교회(조직)의 부흥과 지속 가능성을 위해 무시할 수 없는 필수 요소 중 하나이다.

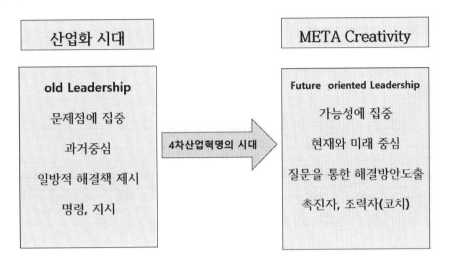

6 코칭의 효과

1) 코칭 효과

(1) 나를 발견하고 깨달음

(2) 새로운 관점 제시

(3) 인간관계의 기술(신뢰, 소통 등)

(4) 변화와 성장(잠재능력 발견으로)

(5) 성과 극대화

- 교육만으로는 22%, 교육과 코칭을 함께 활용하면 **88%(교육의 4배) 향상**
  (Business Magazine Chemistry Section, 2002.11)

- 포춘 500대 기업의 CEO 중 50% 이상이 코칭을 받고 있으며 **매년 25% 성장**(Economist. 2019.9)

- 프로코치 도입 기업은 **투자비용의 7배**, 개인 고객은 **3.44배** 투자 대비
수익창출(ICF Global Coaching Client Study, 2009)

2) 기업예시

(1) GE(General Electric) : 잭 웰치

잭 웰치는 GE의 CEO로서 코칭을 통해 조직의 성과와 구성원들의 역량을 극대
화하였다. 그는 GE를 경영할 때 외부와 내부의 전문 코치를 활용하고, 핵심 인재
위주로 구조조정을 실시하며 코칭을 강조했다. 임직원을 최고의 선수로 키우기 위
해 사내 연수원에서 Action Learning 프로그램을 운영하고, 코칭을 반드시 해야
하는 원칙을 제시했다.

잭 웰치는 **"조직의 가장 무서운 적은, 성과는 내지만 코칭을 하지 않는 관리
자"**라고 할 정도로 코칭을 강조하였다. 그래서 웰치는 관리자들에게 6가지 원칙을
강조하였다.

"조직의 가장 무서운 적은, 성과는 내지만 코칭하지 않는 관리자이다"

<성공하는 지도자의 원칙>

1. 축하하는 행사를 많이 만드세요
2. 부하직원들이 모험을 할 수 있게 하세요
3. 질문을 많이 하십시오
4. 기쁠때나 슬플때나 솔직하세요
5. 비전을 구체적으로 말하세요
6. 최고의 선수를 만들어 내세요

---

(2) 맥도날드(McDonald)

1954년 설립된 일본 맥도날드사는 코칭을 도입한 일본 최초의 기업이다. 40년간 지켜온 햄버거 대학을 통해 직원 교육에 주력하였지만, 패스트푸드 산업의 특성으로 인해 비정규 직원 비율이 증가함에 따라 직원 관리가 어려워졌다. 또한, 점포 매니저들이 매출과 매장 관리에 집중하면서 매장 직원들의 관리나 팀 협력 능력이 부족한 문제가 발생했다. 따라서 맥도날드는 **매니저들을 대상으로 코칭 교육을 도입하였고, 이를 통해 협업과 의사소통이 개선**되어 긍정적인 결과를 얻게 되었다.

(3) Google : 에릭 슈미트

"코치를 고용하라 내 인생의 최고의 조언이다." 내가 이 세상에서 이 일을 제일 잘하는데 코치가 무슨 조언을? 하는 생각이었다. 그런데 막상 코칭을 받고 보니 달랐다. 사업상 마찰이 생기면 문제 자체에 갇히는 경향이 있다. 코치는 내게 한 단계 올라간 긴 안목을 갖도록 도와 주었다

(4) 마이크로 소프트 : 빌 게이츠

"당신이 농구 선수이건, 테니스 선수이건, 체조선수이건, 카드 플레이어건 상관없다. **모든 사람은 코치가 필요하다.**"라고 하면서 코치의 중요상을 강조하였다.

위의 사례처럼 세계적인 기업가들도 코칭을 접목하여 기업발전을 도모하고 있으며 포춘(Fortuun)의 500대 기업의 절반 이상이 기존의 성과관리 시스템에 코칭을 추가로 도입하여 운영하고 있다. 대표적 외국회사는 GE, 펩시콜라, 구글, IBM, 맥도날드 닛산 등, 한국은 LG, 삼성, SK, 포스코, 현대자동차, 서울아산병원, 농심, 듀폰, 바인그룹(동화세상에듀코) 등의 회사가 전통적인 "평가하고 보상하는 시스템"에서 코칭을 추가하여 실시하고 있으며 정부 기관뿐만 아니라 군대조직에서도 코칭을 도입하고 있다

크리스천 코칭

제2장 크리스천 코칭의 이해

사람의 마음에 있는 모략은 깊은 물 같으니라
그럴지라도 명철한 사람은 그것을 길어 내느니라
(잠언 20:5)

1 ▶ 크리스천 코칭의 정의

신앙생활은 삼위일체 하나님과 성도들이 나누는 대화다. 하나님은 말씀을 주시고 우리는 그 말씀을 묵상하고 때로는 질문형식으로 기도하면서 대화를 나눈다. 대화를 나누면 하나님과 나, 그리고 우리 모두 친밀한 관계가 형성된다. 그 관계가 바로 천국에 소망을 둔 크리스천의 삶이다.

크리스천 코칭은 핵심 가치가 성경에 기초를 두는 것에서 일반 코칭과 다르다. 결국, 개인의 은사와 재능 그리고 하나님의 계획을, 성령의 역사를 통해 하나님이 주시는 무한한 잠재력으로 스스로 발견하도록 돕는 행위로 볼 수 있다. 물론 코칭의 보편적 Skill은 다르지 않다. 그러나 크리스천들의 질문의 내용과 존재(Being), 생각의 관점 등은 하나님의 인도하심에 따라 움직여야 한다.

결국, 일반코칭과 크리스천코칭의 보편적 코칭기술은 동일하나 일반코칭은 인간내면의 극대화 및 인간성 완성의 인본주의에 있다면 크리스천코칭은 성경 세계관을 가지고 하나님뜻에 합당한 삶을 살아가는 신본주의에 있다.

1) 필자의 Pilgrim Wave 의 크리스천 코칭은 "기도와 말씀을 기반으로 한 영성을 가지고 그리스도의 무한한 사랑으로 이 세상을 변화시키는 섬김의 도구이며, 이 땅의 모든 이들이 하나님 나라를 이루는 그리스도의 비전을 갖도록 돕는 것이다."(손용민, 김만수코치)로 정의한다.

2) 안산 꿈의교회 김학중 목사는 "성경의 원리에 근거하여(원칙), 그리스도의 임재 가운데(기초), 상대방을 중심에 두고(철학), 하나님의 자원을 통하여(방법), 개인을 향한 하나님의 계획과 목적을 이루기 위하여 변화와 성장(목적)으로 이끄는 상호간의 관계"로 크리스천 코칭을 정의하였으며

3) 크리스천 코칭협회의 브릿지코칭센타(윤하준 목사)는 "성령의 조명 아래 기도와 말씀을 기반으로 그리스도 안에서 개인과 공동체의 가능성을 극대화하여 경이로운 미래를 이룰 수 있도록 섬기는 관계 방식"으로 정의하고 있다.

4) 기독교 심리학자인 게리 콜린스는 크리스천 코칭이 "현재를 파악하고 미래에 초점을 맞추며 새로운 목표를 향해 달려가도록 적극적으로 돕는 안내자가 되어 준다. 그리고 그 중심에는 예수 그리스도가 자리하고 계시다"라고 정의하고 있다.

2 　크리스천 코칭 철학

코칭은 인간을 어떻게 바라보느냐에서 출발할 수 있다. 성경은 인간이 하나님의 형상으로 지음 받았다고 말씀하신다. 그래서 인간은 하나님이 주신 특별한 존엄성과 창조성을 가지고 있다.

따라서 Pilgrim Wave 코칭의 크리스천 코칭철학은 "크리스천 코칭의 영감(靈感, Inspiration)은 모든 존재의 중심에 계신 하나님의 창조성에서 시작되며 하나님의 형상을 닮은 인격적 존재인 인간은 코칭을 통해 변화되고, 섬기며, 그리스도의 비전의 삶을 이룰 무한한 가능성을 가지고 있다"(손용민, 김만수코치)로 정의하고 있으며 다음과 같이 철학을 부연 설명했다.

1) 코칭으로 변화되는 삶(롬 12:2)

너희는 이 세대를 본받지 말고 오직 마음을 새롭게 함으로 변화를 받아 하나님의 선하시고 기뻐하시고 온전하신 뜻이 무엇인지 분별하도록 하라.

2) 코칭으로 섬김의 삶(에베소서 4:12)

이는 성도를 온전케 하여 봉사의 일을 하게 하며 그리스도의 몸을 세우려 하심이라.

3) 코칭으로 그리스도의 비전을 이루려는 삶(사도행전 1:8)

오직 성령이 나에게 임하시면 내가 권능을 받고 예루살렘과 온 유대와 사마리아와 땅끝까지 이르러 예수님의 증인이 되리라.

---

3 크리스천 코칭의 필요성

1) 코칭은 목회의 경쟁력을 향상시킬 수 있는 중요한 수단이 된다. 리더십은 과거와 달리 새로운 형태를 요구하고 있고, 코칭은 이러한 요구에 부응하고 있다. 교회조직과 구성원들이 가지는 요구와 기대는 다양해지고 리더의 부담은 가중되고 있는 이때 코칭은 교회를 살리는 데 큰 몫을 할 것이다. **(꿈의 교회 김학중 목사 : 저서 "코칭리더십으로 교회 살리기"에서)**

2) 크리스천 코칭이 다른 코칭과 다른 점은 고객 스스로가 원하는 지점이 아닌, 하나님이 그가 있기를 원하는 곳까지 갈 수 있도록 돕는 코칭이라는 점이다. 코치는 고객이 기독교적인 가치를 바탕으로 생각의 영역을 확장하고 답을 찾아갈 수 있도록 돕는다. 크리스천 코칭은 성경적인 삶을 살고자 하는 **개인뿐만 아니라 한국 교회와 기독교계에 발전을 가져다줄 것으로 기대된다.** (한국코칭진흥원 서 우경 원장)

3) **코칭이 누구에게나 걸맞은 만병통치약이 아니다.** 어떤 이에게는 카운슬링이 필요하고, 어떤 이는 컨설팅, 멘토링이 필요하다면, 코칭은 경쟁사회에서 자기 경쟁력을 높이는 사람들에게 필요한 것이다. **이 시대 한계적 상황에서 더 이상 발전과 변화를 기대할 수 없는 처지에 놓인 이들이라면 '삶에 대한 터치이며 지속적인 관계'로 설명되는 코칭의 문을 두드려 봄 직하다.**(조성철 목사)

4 ▶ 성경의 코칭모델

성경에 등장하는 많은 사람 중에는 신앙의 사람과 불신앙의 사람들이 있다. 또한, 순종의 사람과 불순종의 사람도 있으며, 의인과 악인도 있다. 그러나 그들 모두는 죄를 짓고 사는 실수투성이의 불완전한 사람들이라는 것이다. 그러나 예수님 또는 누군가로부터 코칭을 받았던 성경 속의 사람들은 엄청난 변화를 이뤘다. 하나님이 사람들을 직접 코칭하신 적도 있었고, 어떤 때는 사람이 사람을 코칭한 적도 있었다. **성경적 코칭은 하나님에 대한 순종을 통하여 하나님 나라의 확장으로 하나님께 영광을 돌리는 것이 목표다.** 그래서 크리스천 코치는 하나님이 주신 무한한 잠재적 능력을 얼마나 끌어내어 주느냐가 중요하다고 할 수 있다.

그렇다면 성경에 나타난 코칭모델은 무엇일까? 많은 모델이 있지만 구약과 신약에서의 몇 가지 주요한 사건을 명시하였다.

1) 구약성서에서의 코칭

(1) 요셉을 코칭하시는 하나님과 코치로 거듭난 요셉

요셉은 형들에 의하여 애굽의 노예로 팔려 고난의 길을 살아야 하는 곤경에 처했었으나, 결국 모든 고난을 이겨내고 애굽의 국무총리까지 되는 축복을 받았다. 하나님은 요셉이 비록 어렸지만, 사람들을 돕고 섬기는 지도자의 모습을 보았고 항상 요셉의 코치가 되어 지혜와 명철로 이겨나가도록 하셨다.

요셉은 친위대장 보디발의 집에서 노예로 있으면서 하나님께서 주신 섬김의 은사로 주인과 주변 사람을 섬기고 코칭하였다. 보디발은 요셉을 신임하여 가정총무로 삼고 그의 집을 관리하면서 주인이 집을 더 풍성하게 하였다. 그러나 보디발의 아내의 유혹이 있었으나 이를 거부하여 보디발의 오해를 받아 결국 왕의 죄수를 가두는 감옥에 갇혔다. 요셉은 보디발의 아내의 유혹에 응하였을 때 노예의 신분도 탈피할 수도 있는 등 승승장구할 수 있는 상황이었다.

그러나 하나님은 항상 요셉과 함께 계시면서 현재 상황을 보지 않고 항상 영혼의 감각을 유지하고 생각하도록 코칭하셨다. **하나님의 코칭으로 또 다른 코치가 된 요셉은 감옥의 죄수로 있으면서도 간수장과 죄수들을 섬기고 코칭하여 간수장이 은혜를 받아 제반사무를 다 맡기는 형통한 복을 주셨다**(창39:21~23).

또한, 요셉은 꿈의 내용을 알고 싶어하는 바로 왕에게 코칭을 했다. 요셉은 꿈을 해석할 때 미래에 일어날 일에 대한 대처방법을 하나님께서 바로 왕에게 직접 말씀하시는 것으로 하여 지혜롭게 제시했다. 이때 바로 왕은 요셉을 하나님의 신에 의해 감동된 사람으로 인정했고 그를 애굽의 총리로 임명했다.

만약 요셉이 꿈을 해석할 때 자신의 영험으로 이야기했으면 쓸데없는 이야기로 죽임을 당했을지도 모르는 상황이었다. 결국, 요셉은 7년 흉년을 거쳐 풍년에 이르기까지 타고난 지도력을 발휘해 애굽을 경제적으로 안정시켰고 왕가를 부강하게 했다. 바로왕은 요셉이 가족의 애굽의 고센 땅에서 살도록 허락하기까지 했다. 여기까지 온 **요셉의 삶에는 하나님이 항상 함께하셔서 코칭하셨다**(창39:3, 23)

(2) 모세의 장인 이드로의 코칭

아침 일찍 모세는 백성들을 위해 재판을 하려고 자리에 앉았다. 그는 혼자 재판석에 앉았고 많은 사람은 줄을 서서 모세 조언을 듣기 위해 아침부터 저녁까지 기다렸다. 얼마 지나지 않아 모세의 장인 이드로는 이것이 미숙한 경영이며 서투른 리더십이라는 것을 깨달았다. 이때 이드로 코치는 장인으로서 모세를 염려하여 여러 질문을 던졌을 것이다. **"자네가 일하는 방식은 어떤 문제가 있는가?** 이런 상황이 지속되었을 때 앞으로 어떤 일이 생길까? 자네 혼자 처리하기에는 너무 벅찬 일인데 어떻게 생각하나?

그러나 모세는 자신의 방식을 고집했다. 이드로는 모세의 현재 방식보다 더 나은 방식을 제안했다. 그는 작은 일들은 능력 있는 사람을 세워서 가르쳐 그들 스스로 재판하도록 하며 큰일들만 모세가 재판하여야 한다고 하였다. 세부적으로 보면 **이드로는 모세에게 사람을 세우는 모델을 제안했는데 그들은 십 부장, 오십 부장, 백부장, 천부장**이었다. 이 리더들은 모세의 지도력 부담을 함께 나눴다.

이드로 코치의 큰 장점은 모세가 하는 일을 관찰하고 몇 가지 보고 느낀 것을 말하고 더 나은 사역을 위해 몇 가지 대안을 제시하여 모세의 효율적인 지도력을 위해 장애물을 제거할 수 있도록 도와주었다. 아마도 **이드로는 새로운 정책을 실행하는 과정에서 모세를 도와주며 코칭해주는 아버지(장인)이자 조언자**이었을 것이다.

(3) 여호수아를 코칭한 모세와 코치로 거듭난 여호수아

모세와 여호수아의 관계는 구약성서에서의 대표적 코칭의 예라고 말할 수 있다. 그들은 광야 40년의 세월 동안 이스라엘 백성을 이끌었다. 그들이 가나안땅 경계에 도달했을 때 출애굽 하였던 수백만 사람 중에는 오직 모세와 여호수아 그리고 갈렙만 약속의 땅 앞에 설 수 있었다. 그들 중 누구도 종으로 살았던 애굽 땅에서 그들을 불러내시기 위해 하나님이 하신 역사적 사건들을 경험하지 못했다.

그들은 힘들어했으며 어떻게 살아야 하는지, 불평하고 비판했다. 그러나 그 세 사람은 이스라엘 백성들에게 하나님이 주신 미래를 향한 비전을 보게 해주었고 그 결과 백성은 가나안땅을 정복할 수 있었다. 코칭은 비전을 자극하고 사람들을 앞으로 나가게 하는 효과적인 형태의 리더십이다. 아울러 **이드로가 모세를 코칭한 것처럼 모세는 그 코칭을 전수 하여 여호수아를 개인적으로 코칭하였다. 그래서 여호수아는 모세의 후계자로서 이스라엘 백성을 무사히 가나안까지 인도하는 지도자로서의 사명을 완수하게 된 것이다.**

모세는 여호수아를 코칭할 때 책임감 있는 사람으로 신뢰하였으며 영적인 안목으로 인정하였고, 아직 경험이 부족한 그 지도자의 장래를 생각하였다. 믿음의 사람 여호수아는 모세가 시작한 일을 완성한 사람으로 광야 40년간 모세를 보좌하면서 지도자로 코칭 받았다.

모세가 죽은 후 여호수아는 이스라엘 백성들을 이끌고 요단강을 건너 가나안 땅으로 들어갔다. 가나안 땅에서 여호수아는 여리고를 비롯하여 아이 성을 무너트리고 가나안 남부와 북부 등을 정복하여 31명의 왕을 물리쳤다. 이 모든 일을 수행한 여호수아의 지도자 자질은 그의 코치였던 모세로부터 받았던 일대일 코칭의 결과였음은 말할 나위가 없으며 **모세와 여호수아의 관계는 구약성서의 대표적 코칭의 예라고 할 수 있다.**

(4) 코치로서의 느헤미야

느헤미야는 황폐한 이스라엘 예루살렘 성벽을 재건하고 영적으로도 쇠퇴한 유대교를 확립해 나가는 데 중요한 역할을 담당한 하나님의 사람이었다. **느헤미야는 성을 재건하는 데 있어서 백성들이 자원하는 마음으로 봉사할 수 있게 하고, 가능성과 잠재력이 있다는 것을 깨닫게 하도록 코칭하였다.**

느헤미야 3장에 보면 느헤미야는 일꾼들에게 책임을 할당할 때 각자의 달란트에 맞도록 코칭하는 모습이 나온다. 또한, 일꾼들이 자신의 집 근처에서 일하도록 배치하여 근무 여건을 좋게 만들어 줌으로써 일의 능률도 오르고 상호 협동 정신도 북돋웠다. 이러한 지도력은 각 일꾼이 쓸데없이 걱정하지 않도록 해서 하나님의 일에 전념하도록 했으며 각자 최선의 노력을 다하도록 마음의 안정을 보장한 크리스천 리더십코칭에서 나왔다고 볼 수 있다.

특별히, 느헤미야는 산발랏과 도비야, 아라비아 사람들 등이 성벽 쌓는 일을 방해할 때, 하나님께 기도하므로 하나님의 코칭을 받아 한 손에는 창, 한 손에는 연장을 들어 싸우면서 성벽을 완성한다.

그의 코칭 기술은 그가 일꾼들에게 아끼지 않는 칭찬에서 발견할 수 있다. 고래도 칭찬하면 춤을 춘다고 하듯, 사람은 칭찬하는 가운데 어려운 일도 쉽게 해낼 수 있는 것이다. 일하는 사람들에게 관심을 가지고 칭찬했으며. 그는 자기와 동역하는 자들이 열심과 노력을 인정해 주고 이해하는 데 인색하지 않고 칭찬해 주었다.

우선적으로 할 일은 크리스천 코치는 어려울 때 하나님께 기도하므로 성령님의 코칭을 받는 것이다.

2) 신약성서에서 코칭의 모델 예수님

크리스천의 삶은 예수 그리스도를 닮아가는 것이다. **예수님은 신약에서 약 150회의 질문으로 제자들과 사람들의 영을 깨우셨다.** 그 당시 교계의 지도자들과 바리새인 등의 곤란한 질문에 대해 적절한 대처를 하셨는데, 응답하실 때도 있었으나 재질문 등을 통해 질문의 불합리성을 스스로 깨치게 하는 등 코치로서의 예수님이 어떠한가를 보여주셨다. 예수님은 세부적으로 어떤 코칭의 면모를 보여주셨는가?

(1) 잠재적인 가능성을 보고 리더로 세워주시는 코치셨다.

크리스천 코칭철학에서 모든 사람은 하나님이 주시는 무한한 잠재력과 가능성 있다고 정의한다. 코치는 비전을 자극하고 사람들을 앞으로 나가게 하는 효과적인 지도력을 발휘한다. **예수님은 베드로의 미래를 아시고 그의 잠재력을 보신 예수님은 그를 반석이라고 부르셨다.** 성격이 매우 급하고 충동적이며 실수가 잦았던 시몬 베드로를 처음 만나는 자리에서 예수님은 베드로의 연약한 성품과 기질, 허약한 믿음을 반석과 같이 성장시키실 것을 미리 보시고 반석이란 이름으로 불릴 것을 말씀하신다. 이것은 **잠재적인 가능성을 보고 리더로 세워주는 코치로서의 본보기다.**

갈릴리 어부 출신, 무례하고 자기중심적이며, 충동적이고, 겁 많고, 예수님을 배신한 베드로가 예수님의 신실한 제자가 되어 성숙하고 자비로우며 그리스도께 영광 올리는 사도들의 지도자가 되었다. 그는 하나님의 사역 중에 옥에 갇히기도 하며 죽을 고비도 있었지만, 소아시아와 각지에 흩어져 있는 유대 기독인들과 이방 기독인들에게 그리스도의 교훈과 믿음을 제시하는 섬세한 편지로 핍박받는 교회를 격려하고 천국 소망을 이야기하는 제자가 되었다.

(2) 공감적 경청하시는 코치셨다.

예수 그리스도는 대화의 핵심인 경청의 힘을 가지셨다. 예수님은 하나님의 말씀을 듣고 그 뜻을 깨달아 순종하셨다. 특별히, 예수님의 순종은 당신의 목숨마저도 내어놓는 것이었다. "그는 근본 하나님의 본체 시나 하나님과 동등 됨을 취할 것으로 여기지 아니하시고 오히려 자기를 비어 종의 형체를 가져 사람들과 같이 되었고 자기를 낮추시고 죽기까지 복종 하셨으니"(빌립보서2:6~8). 예수그리스도는 이 땅에 오셔서 우리의 모든 것을 경청하시고 우리의 감정을 느끼셨고 종의 형태로 낮아지심으로 종의 감정을 아셨다. **공감적 경청자는 상대방의 마음과 감정을 맥락적으로 짚어내는 힘이 있다.** 예수님이야말로 가장 좋은 공감적 경청자이셨다. 마가복음 10장 46~52절의 예수님께서 여리고 성을 지나실 때 있었던 이야기이다.

예수님께서는 십자가를 지시기 위해 예루살렘을 향해 가시면서 여리고를 지나시게 되셨다. 이때 제자들이 동행했고, 소문을 들은 많은 여리고 사람이 예수님 일행을 따랐다. 이 길가에 맹인 거지 바디매오가 있었다. 저기 예수님께서 지나가고 계신다는 소식을 듣고 소리를 질렀다. **"다윗의 자손 예수여 나를 불쌍히 여기소서!"** 많은 사람이 시끄럽다고, 조용히 하라고 핀잔을 주었다. 그러나 이 바디매오는 더 큰 소리로 소리를 질렀다. 이때 그 누구도 이 바디매오의 소리에 관심을 기울인 사람이 없었다.

그러나 예수님께서 그 소리를 들으셨고 가던 길을 멈추어 섰다. 예수님은 바디매오를 데려오라 명하셨다. 사람들이 바디매오를 불러오자 예수님께서 물으셨다. **"네게 무엇을 하여 주기를 원하느냐?."** 바디매오가 보기를 원한다고 말씀드렸다. 그러자 예수님께서 그의 눈을 뜨게 해 주셨다. 예수님은 누구 하나 관심을 두지 않는 거지에게 마음의 창을 열고 공감적 경청으로 소원을 들어주셨다. 우리도 예수님처럼 공감적으로 경청하는 훌륭한 코치로 살아가야 할 것이다.

(3) 강력하고 능력 있는 질문하시는 코치셨다.

예수님은 강력하고 능력 있는 질문하시는 코치셨다. 가이사랴 빌립보에서 예수님이 제자들에게 다음과 같이 물으셨다. "사람들이 나를 누구라 하느냐?" 제자들이 대답한다. "더러는 엘리야 더러는 예레미야 더러는 세례요한 같은 선지자 중의 하나라 하더이다" 이때 예수님이 다시 질문하셨다. "그러면 너희는 나를 누구라 하느냐?" 베드로는 강력한 질문에 자신을 깨우치고 예수님에 대해 정확한 답변을 한다. "주는 그리스도 시며 살아 계신 하나님의 아들이시니이다" 예수님은 제자들이 자유롭게 답변할 수 있는 분위기를 질문으로 만드셨다. 몇 차례의 질문과 답변이 오간 뒤에 핵심적인 질문이 있었다. 예수님은 제자들을 가르치시고 피드백을 받으셨다. 예수님은 제자들을 가르칠 때 확신을 심어주셨다.

성경에는 예수님의 질문이 약 150회 정도 나오는데 대부분 코칭과 관련된 질문들이다. 예수님의 질문은 강력하고 능력 있는 질문들이다. 사람들의 사고방식, 신념, 가치관, 욕구, 원하는 것에 대하여 질문하며, 현재 상황을 넘어 새롭게 탐구하게 하거나 사고의 확장을 가져오게 만든다. 또한, **현재 상황을 알아차리고 무한한 잠재력을 끌어올려 하나님 나라의 새로운 삶을 소망하며 살아가도록 만든다.** 예수님께서는 자신의 질문을 던지고 다른 사람들의 질문에 응답하시기도 하면서 재질문을 통한 강한 피드백으로 상대방이 스스로 일깨움이 있도록 코칭하셨다

(4) 예수님 자신의 삶은 제자들에게 코칭리더십의 모본이 되었다.

예수님은 자신의 삶을 보여주므로 제자들의 어리석고 죄 많은 모습을 버리게 하고 하나님이 인정하는 종의 모습으로 변화되도록 훈련시키셨다. 예수님이 코칭을 통해 지도자로 세운 제자들은 훗날 코치이신 예수님이 보여주시고 가르치신 그대로 그들도 역시 코치의 삶을 살았다. 베드로는 마가를, 요한은 폴리갑을, 바울은 디모데를 코칭하였으며 그들 또한 다시 코치가 되어서 또 다른 이들을 가르쳤

다. 그러므로 코칭 리더십이야말로 이 세상을 구원의 길로 이끄는 예수님의 절대적 명령을 수행할 수 있는 참 리더십인 것이다.

(5) 위로와 격려, 남을 세워주는 코치로서의 바나바

바나바는 그 이름의 의미처럼 어느 곳에서든지 어려움을 당하고, 소외당한 자들의 편에 서서 위로와 격려자가 되어 주었다(행 9:26, 27; 15:39). 이런 모습은 너무도 쉽게 다른 이의 잘잘못을 판단하고 비판해 버리는 경향이 팽배한 오늘날에 더욱 필요한 태도라 하겠다.

진정 남을 판단하기에 앞서 사랑으로 다독거리며 권면하여 공동체간의 신뢰를 도모하는 평화적 중재자가 필요할 때 하나님이 사용하시는 위로와 격려, 평화의 코치셨다.

바나바는 바울을 발견한다. 바나바는 바울의 과거보다는 바울이 가진 잠재력을 보았다. 그리고 자신의 위치에서 바울에게 도움을 주었다. 바나바는 바울과 함께 안디옥교회를 부흥시켰고 안디옥교회로부터 파송을 받아 바울과 함께 아시아 선교에 나섰다. 바나바는 바울과 함께 금식하며 성령의 음성을 들었다. "주를 섬겨 금식할 때 성령이 이르시되 내가 불러 시키는 일을 위해 바나바와 바울을 따로 세우라 하시니"(행13:2),

한편 바나바는 바울과 함께 고난과 핍박도 당했다. 또한, 사도들이 회심한 바울을 믿지 않는 난처한 바울의 입장을 변호한 것을 볼 때 어려운 이웃의 편에 설 줄 아는 친절하고 인정 많은 자(행 9:26, 27)였으며, 비록 바나바가 마가의 문제로 바울과 헤어지기는 했으나 마가의 실수를 용서하고 자신의 선교에 동참시키고자 한 것으로 보아 **관대하고 남을 격려할 줄 아는 자(행 15:39)로서 바나바는 성경적 코칭의 좋은 모델이다.**

(6) 코치들의 모본인 바울

바울은 이성과 영력을 아울러 지닌 사도이다. 그리고 불타는 정열과 강철 같은 의지에 부드러운 정서와 여성스러운 온화한 면을 아울러 지니고 있었다. 거기에 활달한 기상과, 투철한 사명감과 강한 윤리 의식 존엄한 정의감이 곁들여, 코치가 가져야 할 성품을 두루 갖춘 인물이다. 그는 철저한 유대인이요 바리새인이면서, 동시에 로마 시민권을 갖고 이방 세계에서 태어나 헬라어를 자유롭게 구사할 수 있었다는 것은, 하나님께서 장차 바울이 복음 사역을 하는데 준비된 자로 쓰신 것이다. 이처럼 바울은 코치로서 가져야 할 품성과 지식, 영성까지 준비된 훌륭한 사도였다. 바울은 많은 훈련으로 준비된 자가 되어야 하는 코치들의 모본이다.

또한, 사도바울은 코치로서 젊은 디모데의 건강을 염려하여 편지(디모데전서)를 보낸다. **"이제부터는 물만 마시지 말고 네 비위와 자주 나는 병으로 인하여 포도주를 조금씩 쓰라"** (딤전 5:23). 이처럼 코치는 고객의 건강을 비롯하여 그의 삶 전반에 걸쳐서 관심을 가지고 권면한다.

바울은 자기가 도왔던 디모데에게 이제는 코치가 되어 다른 사람을 코칭하도록 권면하고 있다. **"내 아들아 그러므로 내가 그리스도 예수 안에 있는 은혜 속에서 강하고 또 내가 많은 증인 앞에서 내게 들은 바를 충성된 사람들에게 부탁하라 그들이 또 다른 사람들을 가르칠 수 있으리라"** (딤후 2:1~2). 결국, 고객은 코치를 통하여 보고 배운 대로 행함으로 그도 누군가의 코치가 되는 것이다. 이러한 코칭리더십은 성경에서 얼마든지 찾아볼 수 있다.

또한, 바울은 성령의 사람으로서 사랑의 법을 성취하는 코치였다. 바울은 주의 사랑이 강권하여 이 놀라운 생명과 소망의 복음을 전하지 아니할 수가 없었다. 아울러 **회심 이후 일평생 복음 전파에 헌신한 바울의 태도는 신앙생활의 기간이 길어질수록 미온적 신앙에 머물게 되는 많은 현대인에게 좋은 본보기가 되고 있**

다. 또한, 조금만 자신의 역량이 뛰어나고 주위로부터 인정받을 때 교만해지기 쉬운 우리 모든 코치에게 겸손의 모본을 보여주고 있다.

3) 성령님의 코칭

구약성경에는 **"성령"**이라는 표현이 **"하나님의 영"**, **"여호와의 영"**으로 표기되었다. 성령은 하나님께서 이 땅을 창조하신 그 순간부터 하나님의 영으로 그 존재를 피력하셨다. **"하나님의 영은 수면위에 운행하시니라"**(창1:2). 또한 **"여호와의 영"**으로 삼손에게 힘의 권능을 주셨으며, 그 외 모든 사사들에게 특별한 성령을 부어 주셨다. 사무엘이 다윗에게 기름 부을 때 **"여호와의 영"**이 크게 감동하셨으며, 요엘서에서 **"여호와의 영"**을 만민에게 부어주실 것을 약속하셨다. **성령은 구약시대에 특별한 서명자에게 임하셔서 그들을 코칭하므로 하나님의 사명을 감당케 하셨다.**

또한 성령은 신약의 복음 시대에 특별한 움직임으로 역사하고 계신다. 예수님은 30세쯤 세례 때에 비둘기의 형태로 그에게 강림한 성령에 의해 거룩한 메시아 직을 위임받았다. 성령은 언제나 예수님의 사역 속에 함께하면서 그를 코칭하여 예수로 하여금 하나님의 뜻을 선포하고 백성을 치유하며 많은 기적을 행하게 하였다. 예수가 부활 승천하신 이후에 성령은 예수의 영광을 나타내시며 각 사람을 코칭하여 진리를 알게 하신다.

성령 강림 이후에 성령은 사도를 코칭하여 그들이 담대하게 복음을 전하게 하여 교회를 설립하기로 하였고 안디옥교회를 코칭하여 사울과 바나바를 선교사로 파송시키게 하였다. 성령은 보혜사가 되시어 그리스도인의 삶 속에서 역사하신다.

또한, 그리스도인들을 영적으로 코칭하여 성령의 열매를 맺게 하고 은사를 활용하게 하여 그리스도의 사역에 동참하게 한다. 이렇듯 **성령은 하나님과 인간 사이**에서 코칭을 통해 피폐한 이 세상에 예수 그리스도를 전파하여 구원에 이르게 하며 궁극적으로 그리스도인의 거룩한 삶을 살아갈 수 있는 지혜와 능력을 주신다.

크리스천 코칭

크리스천 코칭

제3장 경청하기

"내 양은 내 음성을 들으며
나는 저희를 알며 저희는 나를 따르느니라"
(요한복음 10:27)

경청은 상대방의 말에 귀를 기울여 온전히 집중하는 것이다. 고객의 말만 듣는 것이 아니라 상대방과 함께 멋진 춤을 추는 것이다. 알파치노 주연의 "여인의 향기" 영화에서 보듯이 탱고를 추는 멋진 춤이 그것이다. 탱고는 서로의 눈, 상대의 표정, 자세를 맞추면서 움직인다.

그리고 목소리 톤, 말 내용의 키워드에 초점을 맞춘다. 그러다 보면 상대방이 무엇을 원하는지 어떤 상태인지를 잘 알아차릴 수 있다. 그러기 위해서는 **코치는 자기 마음속의 에고(ego:자기중심적인 생각)를 떨쳐버리고 고객의 말에 온전히 몰입하는 것이 중요하다. 그것이 경청이라고 생각한다.**

경청은 코칭의 주요 요소인 질문, 피드백 등에 우선한 중요한 대화 요소이므로 (사)한국코치협회에서는 8가지 역량 중 경청을 다음과 같이 정의하고 설명하고 있다. 이에 코칭 대화를 예시로 들면서 경청에 대하여 세부적으로 살펴보고자 한다.

경청의 정의는 "고객이 말한 것과 말하지 않은 것을 맥락적으로 이해하고 반영 및 공감하며, 고객 스스로 자기 생각, 감정, 욕구, 의도를 표현하도록 돕는다" (2022. (사)한국코치협회)이다. 한마디로 말하면 고객의 말에 귀를 기울여 온전히 집중하는 것이며 마음으로 들어주는 것이다. 경청은 상대방을 존중하여야 하는 대화의 기본요건이므로 상대방과의 신뢰를 형성하는 의사소통에서 제일 중요한 핵심이라고 생각한다. 결국, 코칭의 성패는 경청에 달려있다.

사람의 심리를 다루는 NLP(Neuro Linguistic Programming: 신경언어 프로그래밍)에서는 대화과정에서 경청을 잘하게 되면 고객과 완전한 신뢰감, 본능적 신뢰감(가족같은)이 만들어지고 고객의 감정과 욕구를 느낄수 있다고 한다. 그리고 나의 생각(판단, 분석, 평가, 충고 등)을 멈추게 된다고 한다. 이에따라 대화 과정에서 **경청 기술의 효과를 고객, 코치, 코칭과정의 3가지 관점**에서 보면 다음과 같다.

1) 고객의 관점

(1) 권한 부여 및 확인

코치가 주의 깊게 들을 때, 고객의 감정과 경험 등 전체를 이해하고 확인하게 된다. 이러한 확인은 고객에게 권한을 부여하며, 이해받고 존중받는다고 느끼게 한다. 이것은 고객이 더 개방적으로 되어 자신의 생각과 감정을 깊이 탐색하도록 격려한다.

(2) 명확성 및 자기 인식:

적극적인 경청을 통해 고객은 종종 자신의 생각과 감정을 크게 표현하는 것을 듣게 되며, 이는 더 큰 자기 인식과 명확성으로 이어질 수 있다. 이 과정은 그들이 진정한 필요, 욕구 및 변화가 필요하거나 막혀 있는 분야를 식별하는 데 도움이 된다.

2) 코치의 관점

(1) 이해와 통찰

경청은 코치에게 고객의 사고방식, 도전과 목표에 대한 중요한 통찰을 제공한다. 이를 통해 코치는 고객의 관점을 이해하고, 공감을 촉진하며, 더 맞춤화되고 효과적인 지도를 가능하게 한다.

(2) 신뢰 및 라포 구축

효과적인 경청은 코치와 고객 간의 신뢰와 라포의 기반을 구축한다. 이것은 코치가 고객의 복지와 발전에 대한 헌신을 보여주며, 성공적인 코칭 관계에 필수적이다.

TRUST(1995년)란 책을 집필한 프랜시스 후쿠야마(스텐포드 대학교수)는 "역사상 경제와 기술 등에서 비약적인 성장을 이룬 사회의 한 가지 공통점이 신뢰이며, 신뢰가 사회적 신뢰수준이 차이에서 정책과 개혁의 모든 성패가 갈린다" 라고, 역설했다. 이러한 신뢰를 위해 경청은 무엇보다도 중요하다고 본다.

3) 코칭과정의 관점

(1) 성장과 변화 촉진

경청은 고객의 진전을 저해할 수 있는 근본적인 문제와 패턴을 식별하는 데 핵심적이다. 이를 이해함으로써 코치는 고객을 개인적 성장과 긍정적인 변화로 효과적으로 안내할 수 있다.

(2) 커뮤니케이션 향상

좋은 경청기술은 코칭 관계 내에서 더 나은 커뮤니케이션으로 이어진다. 이것은 고객의 필요와 목표가 명확하게 이해되고 해결되도록 보장하며, 코칭 과정을 더 효율적이고 집중적으로 만든다. 전반적으로, 경청은 단순히 말을 듣는 것이 아니라 이해하고 공감하며, 코칭 관계에서 성장과 긍정적인 변화를 촉진하는 방식으로 반응하는 것을 의미한다.

3 경청의 종류

1) 경청은 크게 수동적 경청과 적극적 경청, 맥락적 경청(통합적 경청)으로 나뉜다.

(1) 수동적 경청(Passive Listening)은 자기중심적인 경청 방식으로, 주로 자신이 듣고 싶은 내용만 선택적으로 듣는 것을 말한다. 이러한 경청 방식은 상대방이 자신에게 관심 없는 이야기를 할 때 겉으로만 듣는 척하거나, 실제로는 자신이 하고 싶은 이야기에만 집중하는 경향이 있다. 일상적인 대화에서 대다수 사람이 이러한 수준의 경청을 하는 것으로 볼 수 있다.

(2) 적극적 경청(Active Listening)은 상대방 중심의 경청 방식이다. 이는 특히 코치나 상담가 같은 전문직에서 중요하게 여겨진다. 적극적 경청을 하는 사람은 고객이나 상대방의 이야기에 온전히 주의를 기울이며, 호기심을 가지고 경청한다. 또한 상대방의 말에 적극적으로 반응을 보이면서 대화에 참여한다. 이를 통해 상대방은 자신의

이야기가 충분히 들리고 있다고 느끼게 되며, 이것이 효과적인 의사소통과 심리적 안정감을 가져다줄 수 있다.

(3) **맥락적 경청(Contextual Listenin)**은 통합적 경청이라고도 하는데 경청의 최고 단계이다. 이는 단순히 말을 듣는 것을 넘어, '말하지 않는 것까지 듣는 경청법(Listen beyond words)'을 포함한다. 맥락적 경청은 말 자체보다는 그 말이 어떤 맥락에서 나왔는지, 즉 말하는 사람의 의도, 감정, 배경까지 고려하며 듣는 것을 의미한다. 이는 고수의 경청법으로 여겨진다.

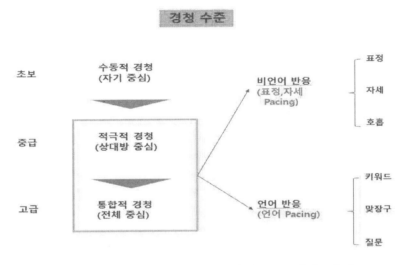

2023. 작전타임STOP코칭(김만수,손용민외1인)참조

경청에서 주의할 사항은 코치는 고객의 말을 들으면서 다음 질문을 위하여 생각하지 말아야 한다. 그 생각은 온전한 경청을 방해할 뿐만 아니라 고객의 말의 맥락을 이해 못 하고 자신이 질문으로만 끌고 가는 코칭이 된다. 이것은 고객이 존중받지 못하는 것을 느끼게 되고 고객은 그러한 코치를 완전히 신뢰하지 못하는 결과를 초래한다.

4 ▶ 경청역량의 핵심요소

경청역량의 핵심요소는 맥락적 이해, 반영, 공감, 고객의 표현 지원으로 코칭 역량
(2022. (사)한국코치협회)을 다루고 있으며 다음과 같다.

1) 맥락적 이해

여기에서 강조되는 것은 코치가 고객이 말한 것뿐만 아니라 말하지 않은 것까지
도 맥락적으로 이해하고 반응하는 능력이다. 고객은 자신의 마음을 이해하는 코치를
가장 존중하며, 코칭 과정에서 고객은 항상 제 생각이나 느낌을 전부 표현하지 못할
수 있다. 이런 상황에서 코치가 고객이 표현하지 못한 부분까지 이해하고 공감한다면,
고객의 신뢰를 얻을 수 있다. 이를 위해서 코치는 자신의 신념이나 가치관을 배제하고
고객의 말에만 집중해야 하며, 어설픈 추측이나 추론은 피해야 한다.

미국의 심리학자 Carl Ransom Rogers는 "**사람은 누구나 자신이 이해 받는다고 느
낄 때 자기 내면의 장벽을 허물고 자신을 충분히 드러내고 싶어하는 것을 발견하였
고 그것은 대화에 참여한 사람들 모두를 풍요롭게 한다**"고 하였다. 코치는 고객의
생각, 감정, 의도, 욕구, 신념을 충분히 이해해야 하며, 고객이 처한 상황과 그에 대한
관점과 입장까지 고려해야 한다.

다음은 코칭 중에 **맥락적 이해에 관한 코칭 예시이다.**

코치: 안녕하세요, 오늘 어떤 도움이 필요하신가요?

고객: 안녕하세요, 코치님. 요즘 교회 봉사활동에서 조금 지쳐가고 있어요. 모두가 잘 협력하지 않는 것 같아서요.

코치: 봉사활동에서 지쳐가고 계시고, 협력이 잘 이루어지지 않는다고 느끼시는군요. 또한, 어쩐지 마음 한편에 무언가 더 말씀하고 싶은 부분이 있어 보이는데, 그 부분에 대해서도 조금 더 나눌 수 있을까요? **(맥락적 이해를 통한 질문)**

고객: 사실, 봉사 팀원들 사이의 의사소통이 잘 안되는 것도 있지만, 제가 제안한 아이디어가 잘 받아들여지지 않는 것 같아서 더 힘들어요.

코치: 제안한 아이디어가 잘 받아들여지지 않아서 힘들어하시는군요. 그 상황에서 느끼는 감정이나, 팀원들과의 관계에서 중요하게 생각하는 가치에 대해 조금 더 말씀해 주실수 있나요?

고객: 음, 저는 팀원들과의 화합을 중요하게 생각해요. 하지만 제 의견이 무시당하는 것 같아서 소외감을 느끼고 있어요.

이 대화에서 코치는 고객의 말뿐만 아니라 그 말 속에 담긴 감정과 미묘한 신호들을 세심하게 포착하여 고객이 자신의 진짜 문제와 감정을 표현할 수 있도록 돕고 있다. 이러한 **맥락적 이해는 고객이 자신의 상황을 더 깊이 이해하고, 문제 해결에 관한 생각을 확장할 수 있도록 돕는다.**

2) 반영

(1) 반영은 눈 맞추기, 고객 끄덕이기, 동작 따라 하기, 어조 높낮이와 속도 맞추기, 추임새 등을 하면서 경청하는 것이다.

사람의 심리를 다루는 NLP(Neuro Linguistic Programming)에서도 반영과 맥락을 같이하는 경청기술인 상대방과 보조를 맞추는 Pacing이라는 기술을 다루고 있다. NLP는 사람들이 자신이 되고자 하는 행동과 습관 변화를 도와주는 프로그램으로 코칭에서 많이 활용하고 있다. 특히, 코칭에서 Pacing은 경청을 위한 기술로써 잘 사용하면 상대방의 신뢰를 얻는다. 상대방이 이야기할 때 눈 맞추기, 고객 끄덕이기, 동작 따라 하기, 어조 높낮이와 속도 맞추기, 추임새 등을 잘하면 신뢰를 얻게 된다.

아리스토텔레스의 수사학에서도 상대를 설득하기 위하여 3요소를 강조하는데 로고스(logos)는 논리적으로, 파토스(Pathos)는 상대의 심리적 상태를 잘 파악하는 것이며 에토스는 말하는 사람의 인품, 지식, 경험 등을 근거로 신뢰가 형성되면 사람을 설득할 수 있는 커뮤니케이션이다. 결국 상대를 설득하려고 한다면 먼저 에토스의 신뢰가 형성하는 것이 중요하다고 할 수 있다.

우리가 신앙생활 하면서 하나님과의 Pacing이 너무도 중요하다고 생각한다. 하나님은 말씀하시는데 내가 제대로 경청하지 않고 외면하고 순종하지 않으면 하나님과의 신뢰가 형성되지 않으므로 신앙적인 어려움을 겪게 된다. 코치가 상대방의 이야기를 잘 반영하는 코칭을 할 때는 **다음 몇 가지에 주의**를 기울여야 한다.

① 눈맞춤을 한다면서 고객을 지나치게 빤히 쳐다보는 것은 바람직하지 않다.
② 고개 끄덕이기와 동작 따라 하기: 적절한 타이밍이 중요하다. 아무 때나 고개를 끄덕이거나 동작을 따라 하는 것은 오히려 고객에게 불쾌감을 준다. 또 동작을 따라 할 때 지나친 표현을 주의해야 한다.
③ 추임새: 지나친 추임새는 고객의 이야기를 방해할 수 있다.

(2) 반영은 코치가 고객의 말을 재진술, 요약하거나 직면하도록 하는 것이다.
이것의 첫 번째 목적은 코치가 고객의 말을 제대로 이해했는지 확인하기 위함이고, 두 번째 목적은 고객이 자신의 생각, 감정, 의도, 욕구 등을 스스로 정리하고 돌아볼 수 있도록 돕기 위함이다.

가. 재진술 방법

① **'반복하기'**로, 고객이 한 말을 그대로 반복하는 것이다. 고객이 한 말중 끝말을 그대로 반복해서 따라 하거나 핵심 단어를 바탕으로 질문하는 것이다.
② **'바꾸어 말하기'**로, 고객의 말을 유사한 단어로 재표현하는 것이다.
③ **'요약하기'**로, 고객의 말을 간략하게 정리하고 핵심적인 생각과 감정을 전달하는 것이다.

다음은 **재진술 방법의 예시이다.**

코치: 안녕하세요, 오늘 어떤 도움이 필요하신가요? 고객: 안녕하세요, 코치님. 요즘 교회 봉사활동에서 조금 지쳐가고 있어요. 모두가 잘 협력하지 않는 것 같아서요. 코치: <u>봉사활동에서 지쳐가고 계시고, 협력이 잘 이루어지지 않는다고 느끼고 계시군요</u>**(요약하기)** 그 상황에서 어떤 부분이 가장 힘드신가요? 고객: 사실, 봉사 팀원들 사이의 의사소통이 잘 안되는 것 같아요. 저는 계획을 세우고 일을 진행하고 싶은데, 다른 팀원들은 제 의견을 잘 듣지 않아요. 코치: <u>서로 말이 잘 안통하고, 계획대로 일을 진행하고 싶으신데</u>**(바꾸어말하기)** 팀원들이 의견을 잘 듣지 않는다. 이 상황에서 어떻게 하면 팀원들과 더 잘 소통할 수 있을지 생각해 보셨나요? 고객: 음, 아직 구체적으로 생각해 보진 않았어요. 하지만 뭔가 변화가 필요하다는 건 확실해요. 모두가 함께 변화를 통한 협력할 수 있는 방법을 찾고 싶어요. 코치: 음... <u>변화를 통한 협력의 방법이군요</u>**(핵심단어 반복하기)** 그 방향으로, 어떤 첫걸음을 내디딜 수 있을까요?

위의 예시와 같이 코치가 재진술할 때, 이는 고객이 거의 의식하지 못할 정도로 자연스럽게 이루어져야 한다. 재진술이 고객의 말을 지나치게 많이 포함하거나 과장된 단어를 사용하는 것은 바람직하지 않다. 이러한 방식으로 코치는 고객의 말에 대한 이해를 확인하고, 고객이 자기 내면을 탐색하는 데 도움을 줄 수 있다.

또한, 코치는 고객의 말을 반복하고, 핵심 단어를 바탕으로 질문함으로써 고객이 자신의 상황을 더 명확하게 인식하고, 문제 해결에 관한 생각을 확장할 수 있도록 돕고 있다. 이러한 '반복하기' 방법은 고객이 자기 생각과 감정을 더 깊이 탐색하도록 유도하며, 코치와 고객 간의 신뢰와 이해를 증진시킨다.

위 (1)~(2)의 기술들은 아래 그림과 같이 **행동적 Pacing과 언어적 Pacing**으로 구분할 수 있다. 언어적 Pacing을 할 때 행동적 Pacing은 기본적으로 해야하는 존중된 행동이다.

나. 직면

코치가 고객의 말과 행동 사이의 불일치나 모순을 발견할 때 사용하는 기술이며 고객의 말과 행동, 생각, 감정 간의 차이를 드러내는 상황에서 사용된다. ICF 국제코칭연맹의 역량에서도 "**알아차림이나 통찰을 일으키기 위해서는 고객에게 도전한다**"라는 실행 지침이 있다. 고객의 생각, 느낌을 반영할 때는 명확하고 직접적이며 열린 질문을 하도록 하고 있는데 이것이 직면 질문일 수 있다.

(예를 들면) "**~해야 한다고 하였는데요. 그것을 계속하였을 때는 어떤 일이 일어날까요?** "또는 "**~해야 한다고 하였는데요. 하지 않으면 어떤 일이 일어날까요?** "하는 도전적이면서 직면 질문을 하면 고객자신의 말과 행동 사이의 불일치나 모순을 알아차릴 수 있다.

또한 " 자신이 부족하다고 생각하는 고객이 있다면 "**고객님은 자신을 새롭게 인식하기 위해서 스스로 무엇을 새롭게 해보시겠어요?**"라고 질문한다면 알아차림을 통해 새로운 아이디어를 생각하고 새로운 행동 가능성을 찾아낼 수 있다.

그러나 코치에 대한 신뢰가 낮은 상황에서 과다한 직면을 사용하면, 이는 코치에 대한 불신으로 이어질 수 있으므로 이러한 기술을 사용할 때는 신뢰를 바탕으로 맥락적으로 개방적 질문을 하는 것이 중요하다.

다음은 고객의 말과 행동의 불일치를 발견했을 때 고객의 말과 생각을 어떻게 반영하여 **직면질문으로 코칭하는지의** 예시이다.

예시의 코칭 대화는 고객의 말과 행동의 불일치에 대하여 코치가 고객의 내면적 갈등과 자기 인식을 탐색하는 과정을 보여준다. 고객은 자신의 두려움과 장애물을 인식하고, 이를 극복하기 위한 구체적인 단계를 계획하며, 자신감을 쌓고 긍정적인 변화를 추구하게 된다.

코치: "저는 당신이 최근에 결정한 것에 대해 매우 확신하고 있다고 느꼈습니다. 하지만 동시에 몇 가지 행동에서는 여전히 주저하는 것처럼 보였어요. 이에 대해 어떻게 생각하시나요?"**(직면질문)**

고객: "음, 사실 저도 그런 느낌을 받았어요. 결정은 했지만, 아직 완전히 확신이 서지않는 것 같아요.

코치: 그러면 고객님이 만약 그것을 하지 않으면 어떤 일이 일어날 것 같나요?"**(직면질문)**

고객: "사실, 그것을 하지 않으면 제가 중요한 기회를 놓칠 것 같아요. 제가 정말로 원하는 것을 달성하지 못할 것 같아서 걱정이에요."

코치: "그렇다면 지금까지 그것을 하지 않은 이유는 무엇인가요?" **(직면질문)**

고객: "자신감이 부족해서였어요. 또한, 실패할까 봐 두려웠어요. 그래서 항상 미루게 되더라고요."

코치: "자신을 새롭게 인식하기 위해서, 당신은 스스로 무엇을 새롭게 해보고 싶나요?" **(직면질문)**

고객: "저는 제가 좀 더 긍정적이고 자신감 있는 사람이 되길 원해요. 아마도 새로운 취미나 활동에 참여해 보는 것도 도움이 될 것 같아요."

3) 있는 그대로 받아들이고 공감하기

코치의 가장 중요한 자세는 **고객이 하는 말에 공감**해 주어야 하고, **어떠한 가치판단도 하지 않고 받아들이는 것이다.** 고객의 말은 거짓과 참에 상관없이 100% 진실이라고 믿어야 한다. 왜냐하면 고객의 생각에서 나온 말이기 때문이다.

(1) 고객 관점에서 세상을 보기

공감은 고객의 관점으로 세상을 보는 것이다. 이를 통해 코치는 고객의 사고방식과 감정을 이해할 수 있다. 마치 고객의 안경을 통해 세상을 바라보듯이, 고객의 마음을 이해한다.

(2) 고객의 의도와 욕구 이해하기

코치가 고객의 관점에서 세상을 바라볼 때, 고객의 말과 행동을 통해 그들의 마음속 의도와 욕구를 읽을 수 있다. 코치는 어떠한 편견이나 선입견 없이 고객의 마음을 들여다보는 것이 중요하다.

(3) 이해한 것을 고객에게 표현하기

공감은 고객의 의도와 욕구를 이해하는 것에 그치지 않고, 이를 고객에게 표현하는 것까지 포함해야 한다. 코치는 고객의 말과 행동에서 읽은 의도와 욕구를 고객에게 표현하고, 필요하면 그 이해의 근거를 설명해야 한다.

공감 과정에서 **동정이나 동일시를 조심**해야 한다. 동정은 고객의 입장을 고려하지 않고 걱정만 하는 것이며, 동일시는 코치가 고객과 감정적으로 지나치게 얽혀서 문제에 빠지는 것이다. 결국, 공감은 코치로서 고객이 자신의 감정과 생각을 솔직하게 표현하도록 격려하고, 그들의 경험과 가치에 귀 기울이는 것이 중요하다. **다음은 코치가 고객의 생각과 감정을 깊이 이해하고 공감하는 코칭 예시이다.**

코치: "인생에서 중요하다고 생각하는 가치는 무엇인가요?"

고객: "제게는 신앙과 가족이 가장 중요해요. 그런데 최근에 이 두가지 사이에서 균형을 맞추기가 정말 어려워요. 남편과의 어려움이 무엇보다 커요."

코치: <u>"신앙과 가족사이의 균형을 찾는 것이 쉽지 않으셨겠어요. 특별히 남편과의 어려움이 크군요. 정말 힘드시겠어요"</u> **(공감)** 이 두 가치 사이에서 균형을 찾는 과정에서 어떤 도움이 필요하신가요?"

고객: 코치님이 공감해 주시니 감사합니다. 균형을 잡는다는 것이 쉽지 않은 것 같아요. 오늘 코칭에서 답을 꼭 찾고 싶어요.

---

4) 고객의 표현 지원

　　코치는 고객이 자신의 생각, 감정, 의도 및 욕구를 표현할 수 있도록 도와야 한다. 이를 위한 코치의 **다음과 같은 행동들이 고객이 자신의 생각, 감정, 의도 및 욕구를 표현하는 데 도움**이 된다.

(1) 온전히 집중하여 진심으로 경청하기

　　코치는 고객에게 온전히 집중하면서 진심으로 전체적으로 들어야 한다. 고객은 코치가 진심으로 듣고 있는지, 아니면 마음을 다하지 않고 듣고 있는지 직감적으로 알 수 있다. 코치도 고객에게 진심으로 듣고 있다는 것을 보여주어야 한다. 앞에서 이야기한 고객의 이야기를 반영할 때 대화기술의 눈 맞추기, 고개를 끄덕이기, 움직임 따라 하기, 목소리의 톤과 속도를 맞추기, 그리고 추임새 넣기 등으로 고객에게 지속적인 공감이 중요하다.

(2) 말을 끊지 말고 끝까지 경청하기

　　코치는 고객의 말을 중간에 끊어서는 안 된다. 고객이 무슨 말을 하든, 대화 중간에 끊어서는 안 된다. 코치로서 무언가 말하고 싶다면, 고객이 말을 끝낸 후에 해야 한다.

(3) 판단하지 않고 열린 마음으로 경청하기

　　코치는 고객에 대한 일체의 선입견이나 편견을 내려놓고 온전히 열린 마음으로 경청한다. 코치가 자신의 가치나 신념에 근거해 고객을 판단하는 순간, 고객에게 조언하거나 충고하는 실수할 수있다. **다음은 고객의 표현을 지원하는 4가지 코칭 예시이다.**

<개인적 상황 극복>

코치: "현재 직면하고 있는 상황을 설명해 줄 수 있나요?"

고객: "시간관리에 어려움을 겪고 있고 여러사안을 동시에 한다는 것이 힘이 드네요."

코치: "아~ 시간관리에 어려움을 겪고 있군요... 이 상황을 생각할 때 어떤 감정이 드나요? 시간을 더 효과적으로 관리하기 위해 우선 무엇을 해보면 좋을까요?"

<관계 구축>

코치: "당신에게 중요한 관계에 대해 생각해 보세요. 그것을 중요하게 만드는 것은 무엇인가요?"

고객: "멘토와의 관계구요. 멘토와의 만남은 생각의 정리가 되므로 매우 중요합니다."

코치: 와우~ 멘토와의 만남속에서 생각이 정리되는군요. 휼륭한 멘토를 두셨네요. 부럽습니다~

<건강 및 웰니스 목표>

코치: "현재 건강과 웰니스 목표는 무엇이며, 중요한 이유는 무엇인가요?"

고객: "전반적인 건강을 개선하기 위해 더 활동적이고 싶어요."

코치: 건강개선을 위해 더 많이 활동적이고 싶군요.. 그러면 어떤 작은 단계를 밟으면 목표달성의 첫발을 내 디딜수 있을까요?"

<새로운 기회 탐색>

코치: "지금 당장 가장 흥미로운 새로운 기회는 무엇이며, 그 이유는 무엇인가요?"

고객: "제 사업을 시작할 가능성에 대해 흥분하고 있어요."

코치: 가능성에 대해 흥분하고 있군요~ 그 가능성을 생각할 때 어떤 첫 단계를 밟으면 좋을까요?

성경속에서는 많은 경청사례들이 있지만 대표적인 경청사례를 하나님의 경청과 예수님의 경청으로 살펴보면 다음과 같다.

1) 하나님의 경청

(1) 이스라엘 민족의 고통을 들으시고 출애굽으로 인도하신 하나님

"여러 해 후에 애굽 왕은 죽었고 이스라엘 자손은 고된 노동으로 말미암아 탄식하며 부르짖으니 그 고된 노동으로 말미암아 부르짖는 소리가 하나님께 상달된지라. 하나님이 그들의 고통 소리를 들으시고 하나님이 아브라함과 이삭과 야곱에게 세운 그의 언약을 기억하사 하나님이 이스라엘 자손을 돌보셨고 하나님이 그들을 기억하셨더라"(출애굽기 2:23~25)

하나님의 섭리 아래 이스라엘 백성들이 **애굽에서 겪은 고난의 시간은, 깊은 고민과 탄식 속에서도 하나님께 간절히 부르짖음으로써** 그들의 소리가 하늘에 닿았다. 이러한 부르짖음에 응답하시어, 하나님은 아브라함, 이삭, 야곱과의 언약을 기억하시고, **모세를 통해 약속대로 출애굽하여 이스라엘 자손들을 자유로운 민족으로 이끌어주셨다.** 이 역사적 사건은 갑작스럽게 이루어진 것이 아니라, 하나님이 4백 년 전부터 계획하시고 예언하신 대로 성취된 것이다. 하나님은 항상 그들을 지켜보시며, 약속의 시간에 맞추어 구원의 손길을 내밀었다.

이스라엘 백성들에게 일상이었던 고난과 괴로움은, 하나님의 구원 행위를 통해 그 의미가 완전히 바뀌었다. 이제 그들은 과거의 고통을 하나님의 사랑과 인도하심으로 이해하게 되었다. 이와 같이, 우리 또한 **현재의 고난 속에서도 하나님께서 우리를 지켜보시고, 작은 신음소리에도 귀 기울이시며 응답하실 것을 믿어야 한다.** 힘든 시간 속에서도 변함없이 우리를 동행해 주시고, 결국에는 기적으로 우리를 이끌어 주실 하나님의 무한한 사랑과 능력을 신뢰하며, 어떤 상황에서도 굳건히 믿음을 지키기를 소망하면서 하나 **지금 이순간에도 우리의 모든 삶을 경청하신다.**

(2) 가인이 아벨을 죽이는 사건을 경청하시고 인류를 구원하시는 하나님의 마음

"세월이 지난 후에 가인은 땅의 소산으로 제물을 삼아 여호와께 드렸고, 아벨은 자기도 양의 첫 새끼와 그 기름으로 드렸더니 여호와께서 아벨과 그의 제물은 받으셨으나 가인과 그의 제물은 받지 아니하신지라 가인이 몹시 분하여 안색이 변하니 여호와께서 가인에게 이르시되 "네가 분하여 함은 어찌 됨이며 안색이 변함은 어찌 됨이냐. 네가 선을 행하면 어찌 낯을 들지 못하겠느냐 선을 행하지 아니하면 죄가 문에 엎드려 있느니라 죄가 너를 원하나 너는 죄를 다스릴지니라". 가인이 그의 아우 아벨에게 말하고 그들이 들에 있을 때에 가인이 그의 아우 아벨을 쳐죽이니라"(창세기 4: 4~8)

　가인과 아벨은 아담과 하와의 자식으로 가인(Cain)이 형이고, 아벨(Abel)이 동생이다. 가인은 농부이고, 아벨은 양을 치는 목자가 되었다. 어느날 하나님에게 예배를 드리는데, 가인은 땅에서 난 곡식을, 아벨은 양떼에서 태어난 첫 번째 새끼를 죽여 좋은 부위를 예물로 바쳤다. 하나님은 가인의 예물을 반기지 않고 아벨이 예물을 반겼다. 성서학자들은 평상시 가인의 행위가 악했기 때문이기도 하고, 제사에 대한 문제라는 여러 의견이 있다. 결국, **가인은 분노하여 동생 아벨을 죽인다**

　이런 결과로 가인이 하나님의 분노를 사 놋(Nod)으로 쫓겨 난다. 놋은 에덴 동산 동쪽에 있다고 설명되어 있다. 히브리어로 놋은 방랑(wander)라는 의미라고 한다. 가인은 쫓겨나 방랑을 하며 살았다는 것이다. 가인은 방랑지에서 여인을 만나 후손을 낳고 무리를 이루게 된다.
　가인이 떠난 후에 아담은 하와와의 사이에 또다른 아들 셋(Seth)을 낳는다. 아담은 이렇게 말한다. **"하나님이 가인에게 죽은 아벨 대신에 다른 씨를 나에게 허락하셨구나."**

성경에 등장하는 계보는 가인에게서 단절되고, 아담이 130살에 낳은 셋에게서 출발한다. 결국 아벨을 대신한 셋을 통해 10대에 걸쳐 노아가 탄생되고 홍수사건을 통해 인류의 새로운 시작이 예고되었다. 그리고 **우리의 죄를 대속하신 예수님이 탄생**되었다.

하나님은 인간세계에서 일어나는 모든 것을 경청하고 계시고 인류를 위해 모든 악을 징벌하시고 새로운 세계로 인도하신다.

(3) 지혜의 왕 솔로몬과 듣는 마음

"누가 주의 이 많은 백성을 재판할 수 있사오리이까 듣는 마음을 종에게 주사 주의 백성을 재판하여 선악을 분별하게 하옵소서"(열왕기상 3:9)

솔로몬은 다윗에 이어 이스라엘의 왕위에 오른다. 그때 나이는 이십대 내외였을 것으로 생각하고 있다. 그는 두려웠으나 또 다른 한편에 기대와 설레임이 있었을 것이다. 그래서 그는 '기브온에 올라가 그는 하나님께 일천번제의 제사를 드렸다.

솔로몬이 이와 같이 온 마음을 다하여서 하나님께 감사하고 예배한 그날 밤에 하나님께서 솔로몬 앞에 나타나셨다. **"기브온에서 밤에 여호와께서 솔로몬의 꿈에 나타나시니라 하나님이 이르시되 내가 네게 무엇을 줄꼬 너는 구하라"** (열왕기상 3:5). 하나님께서 물으셨다. '네가 왕이 되었는데 무엇을 주면 좋겠느냐?' 하나님이 우리에게도 다가와서 물으실 때가 있다.

하나님께서 우리에게 다가오셔서 무엇을 주면 좋겠냐고 물으실 때 **여러분은 무엇을 구하시겠습니까?** 우리가 원하는 것이 얼마나 많이 있습니까? 육체적이고 물질적인 것이든, 정신적이고 영적인 것이든 원하는 것이 있을 것이다.

솔로몬은 그 순간에 놀랍게도 '듣는 마음'을 구했다. 눈에 보이는 것이 아니었고, 손에 붙잡을 수 있는 것도 아니었다. 그가 듣는 마음을 구했다는 사실은 정말 놀라운 일이 아닐 수 없다. 듣는 마음은 지혜의 시작이다. 솔로몬의 지혜로 두 여인의 아이 쟁탈사건을 처리하여 진짜 어머니를 찾았던 사례는 정말 명판결이었다. 솔로몬 왕이 하나님께 '듣는 마음'을 구했을 때, 이는 솔로몬이 자신의 백성을 이해하고 올바르게 판단하기를 원했음을 의미한다.

하나님은 이는 하나님의 음성과 이웃의 목소리 모두를 경청하는 것의 중요성을 강조하는 것이다. 진정한 지혜는 학문이나 경험에서만 오는 것이 아니라, 경청하는 자세에서 비롯된다. **우리가 타인의 말을 진심으로 듣고, 하나님의 인도하심에 경청하고 행동으로 보일 때, 우리의 삶은 더욱 풍부해지고 의미 있어진다.**

2) 예수님의 경청

예수님은 공생애 동안 어렵고 힘든 사람들을 외면하지 않으시고 미세한 음성에 경청하시고 많은 사람들에게 자비를 베푸셨다. 바디메오 소경(눅 18:38), 나병 환자(눅 5:12~16), 혈루병의 여인과 회당장 야이로의 딸(막 5:25~43), 가나안 여자의 딸(마태 15:21~28), 십자가 형틀에서 회개한 죄수(눅 23:39~43), 중풍 병자를 떠메고 온 사람들(막 2:1~12), 죄 많은 여자의 눈물과 향유(눅 7:46), 삭개오의 회개(눅19:1~10) 등 많은 사건들 속에 미세한 음성과 마음까지도 경청하시며 병을 치유해 주시거나 죄를 용서해 주심으로써, 예수님께서는 믿음을 가지고 당신께 애원하는 기도에 늘 응답해 주셨다.

(1) 사랑의 경청으로 맹인 바디메오의 고침

"맹인이 외쳐 이르되 다윗의 자손 예수여 나를 불쌍히 여기소서 하거늘"(눅 18: 38)

예수님의 경청은 우리에게 깊은 교훈을 전달한다. 여리고 도시에서 일어난 맹인 바디매오의 이야기는, 경청의 힘과 그것이 가져다주는 변화의 가능성을 보여준다. 맹인 바디매오가 "다윗의 자손 예수여, 나를 불쌍히 여기소서"라고 외쳤을 때, 주변 사람들은 그의 부름을 무시하거나 침묵하라고 꾸짖었다. 하지만 예수님은 그를 불러 가까이 하셨고, 그의 요청을 진지하게 경청하셨다. 이는 예수님께서는 누구든지, 그의 상황이나 지위와 관계없이, 진심으로 듣고자 하는 분임을 보여준다.

또한, 예수님은 들으시고 마음의 소원에 응답하신다. 바디매오의 이야기는 예수님께서 단순히 듣기만 하시는 것이 아니라, 들은 바를 토대로 응답하심을 보여준다. 바디매오의 간절한   Kyrie eleison(주여 나를 불쌍히 여기소서)은 그의 신체적 치유뿐만 아니라, 인간으로서의 존엄성을 회복하는 것이었다. 예수님은 그의 요청을 들으시고, 그의 눈을 뜨게 하셨다. 이는 우리에게도 마찬가지이다. 우리의 간구에 대한 응답은 때로는 기대했던 방식과 다를 수 있지만, 하나님은 항상 우리의 기도에 귀 기울이시고 최선의 방법으로 응답하시고 계신다.

(2) 혈루병의 여인의 믿음을 알아채신 예수님의 감각 민감성 경청

"열두 해를 혈루증으로 앓아 온 한 여자가 있어 많은 의사에게 많은 괴로움을 받았고 가진 것도 다 허비하였으되 아무 효험이 없고 도리어 더 중하여졌던 차에 예수의 소문을 듣고 무리 가운데 끼어 뒤로 와서 그의 옷에 손을 대니 이는 내가 그의 옷에만 손을 대어도 구원을 받으리라 생각함일러라 이에 그의 혈루 근원이 곧 마르매 병이 나은 줄을 몸에 깨달으니라 ....여자가 자기에게 이루어진 일을 알고 두려워하여 떨며 와서 그 앞에 엎드려 모든 사실을 여쭈니 예수께서 이르시되 딸아 네 믿음이 너를 구원하였으니 평안히 가라 네 병에서 놓여 건강할지어다". (마가복음 5장 25-34)

예수님이 야이로의 딸을 고치러 가는 중간에 어떤 여인이 등장한다. 그 여인은 **12년 동안이나 혈루증을 앓던 여인**인데 그 병은 거의 불치에 가까웠다. 그녀는 예수님을 중심으로 많은 사람들이 몰려가는 틈을 비집고 들어가 예수님의 뒤에서 그의 옷자락에 손을 댔다. 그러자 그녀의 혈루증이 즉시 고침을 받은 것이다.

예수님이 돌아보시면서 여러 사람들을 향해 **"내 몸에 손을 댄 자가 누군가?"**라고 물었다. 모두가 그렇게 한 사람이 없다고 대답하자, 항상 성질 급하게 행동하던 베드로가 앞에 나와 보충적으로 설명하기를 "사람들이 너무 많이 몰렸기 때문에 떼밀려서 그렇게 된 것이지 누가 일부러 손을 대지 않았습니다."고 하였다.

그럴듯한 대답이었지만 예수님은 분명히 의도적으로 손을 댄 사람이 있다면서 당신에게서 능력이 나간 걸로 보아 확실하다고 말씀하셨다. 그 순간 혈루증이 치료된 여인이 더 이상 숨길 수 없다는 것을 깨닫고 한편으로 무서워하면서 사람들 틈에서 빠져 나와 예수님께 그간의 자초지정을 상세하게 말씀드렸다. 그러자 예수님은 이 여인에게 이렇게 말씀하셨다. **"딸아, 네 믿음이 너를 구원하였으니 평안히 가라."**

예수님은 이 여인이 예수님의 옷자락을 만진것만으로도 이를 알아채는 감각 민감성 경청을 하신 것이다. 교인들은 평상시 그렇게 힘든사람을 본다면 그들의 행동을 보고 생각을 읽는 감각 민감성 경청을 통해 예수님의 마음으로 도와야 할 것이다.

(3) 삭개오의 회개를 이끄신 예수님의 영적인 경청

"예수께서 그 곳에 이르사 쳐다 보시고 이르시되 삭개오야 속히 내려오라 내가 오늘 네 집에 유하여야 하겠다 하시니 급히 내려와 즐거워하며 영접하거늘 뭇 사람이 보고 수군거려 이르되 저가 죄인의 집에 유하러 들어갔도다 하더라 삭개오가 서서 주께 여짜오되 주여 보시옵소서 내 소유의 절반을 가난한 자들에게 주겠사오며 만일 누구의 것을 속여 빼앗은 일이 있으면 네 갑절이나 갚겠나이다 예수께서 이르시되 오늘 구원이 이 집에 이르렀으니 이 사람도 아브라함의 자손임이로다".(누가복음 19:5~9)

세리장 삭개오는 부유했으나 외로웠고 동족의 피를 빠는 죄책감으로 힘든 날을 보내고 있었다. 이때 예수님이 지나가신다는 소식을 듣고 예수님을 보려고 돌무화과나무위로 올라갔다. 삭개오의 열망을 아셨던 예수님이 그를 먼저 불렀다. 그리고 그의 집으로 들어가 유하셨다. 사람들은 삭개오를 죄인으로 취급하며 선을 그었지만, 예수님은 그 선을 지우시고 죄인을 구원하시려는 사명에 충실하셨다. **과거에 어떤 일을 했는지, 어떤 삶을 살았는지는 문제되지 않았다. 예수님을 영접하는 이라면 그 누구라도 하나님 나라의 일원이 될 수 있다.** 삭개오의 집으로 향하는 예수님을 보며 불평했던 이들은 하나님 나라가 '배제'가 아니라 '포용'의 원리로 세워짐을 몰랐다.

삭개오는 자기 집에 오신 예수님에게 '믿음'의 반응을 보였다. 그는 자기 재산을 나누고, 자신이 끼친 손해를 여러 배로 갚겠다고 말했다. 삭개오의 회개는 예수님의 부르심에 어떻게 반응해야하는지, 부자가 어떻게 구원 받을 수 있는지를 보여준다. 삭개오는 바늘 구멍을 통과한 부자다. 우리는 삭개오를 품으시는 예수님의 방식이 나의 방식이 되어야 합니다. 배제가 아니라 포용이 내가 다른 이들과 관계를 맺는 방식이어야 한다. **오늘 내가 예수님의 마음으로 품어야 할 사람은 누구일까?**

예수님은 우리의 마음을 영적인 경청으로 알아채신다, 나의 마음이 예수님을 향한 믿음의 열정이 가득찰 때 예수님은 영적인 경청으로 나를 변화 시킨다.

"주만 바라볼찌라"는 찬양이 있다. "하나님 사랑의 눈으로 너를 어느 때나 바라보시고 하나님 인자한 귀로써 언제나 너에게 기울이시니--어두움에 밝은 빛을 비춰주시고 너의 작은 신음에도 응답하시니". 예수님은 단순히 귀를 기울이는 행위를 넘어선다. **예수님은 전적으로 상대방에게 집중하셨으며, 그들의 말뿐만 아니라 마음의 소리까지도 들으셨다.**

이것은 우리에게도 중요한 교훈이 된다. **예수님의 경청은 우리에게 경청의 진정한 의미를 가르쳐 준다.** 이에 우리 모두는 예수님을 따라 경청하는 마음을 키우며 살아가기를 기도한다.

6 타인의 행동 스타일에 경청하고 보조 맞추기

내가 주께 감사하옴은 나를 지으심이 심히 기묘하심이라
주께서 하시는 일이 기이함을 내 영혼이 잘 아니이다 (시편139:14)

1) **하나님은 인간을 정말 신묘막측하게 만드셨다.** 70억 인구중 어느 한 사람도 똑같지 않다. 지문, 눈동자, DNA 등 이 다르고 특별하다. 세계적으로 한국이 낳은 가수 BTS의 명곡 소우주(Mikrokosmos)의 가사를 보면, "밤이 깊을수록 더 빛나는 별빛 / 한사람에 하나의 역사 / 한 사람에 하나의 별 / 70억개의 빛으로 빛나는 70억 가지의 World / 70억 가지의 삶 / 도시의 야경은 어쩌면 또 다른 도시의 밤 / 각자 만의 꿈 Let us shine / 너 누구보다 밝게 빛나" 이다. 이 가사는 한 사람의 존재를 존중하는 훌륭한 가사이다. **모든 사람은 세상을 각자 다르게 봐야 한다는 것을 인정해야 한다.**

2) **세상을 살아가면서 타인의 행동스타일에 경청하고 보조를 맞추기란** 그리 쉽지 않다. 그러나 나의 생각에만 몰두하여 행동하면 좋은 인간관계를 가지기 어렵고 계속적인 오해를 불러 일으킬 수 있다. 우리는 평상시 "쟤 왜 그러지?" 하면서 나만의 잣대를 들이 대는 경우들이 많다. 하지만 타인에 대한 스타일을 잘 알게 되면 "아하"라는 말과 함께 타인을 이해하게 된다. 교회나 사회 조직에서도 이런 이해가 부족하여 갈등이 일어나고 조직이 와해되는 경우가 종종있다.

필자는 교회나 기업워크샵에서 자신을 알고 남을 이해하는 경청의 진단도구로

DISC 행동유형검사와 MBTI검사, 조직갈등관리(TKI)검사 등을 사용하고 있으며 실제로 효과가 크다.

3) **DISC 행동유형 모델**은 인간행동을 설명하는 이론으로서 1928년 미국 콜롬비아 대학 심리학 교수인 Willan Mouston Maraston박사에 의해 처음으로 소개되었다. 개인의 행동패턴을 어떻게 인식하고 행동하느냐에 따라 **주도형(D; Dominance), 사교형(I : Influence), 안정형(S; Steadiness), 신중형(C: Conscientiousness)의 4가지 행동유형**을 만들게 되었다.

사람들이 살아오면서 자기 나름의 독특한 동기 요인에 의해 선택적으로 일정한 방식으로 행동하게 되고, 그런 하나의 경향이 자연스럽게 생활이나 업무에 반영이 되는데, 이를 행동 패턴(Behavior Pattern) 또는 행동 스타일(Behavior Style)이라고 한다. (출처 : 한국교육컨설팅연구소)

4) **또한 MBTI는** 마이어스-브릭스 유형 지표(Myers-Briggs Type Indicator, MBTI)라고 하는데 작가 캐서린 쿡 브릭스(Katharine C. Briggs)와 그녀의 딸 이자벨 브릭스 마이어스(Isabel B. Myers)가 칼 융의 초기 분석심리학 모델을 바탕으로 1944년에 개발한 자기보고형 성격 유형 검사로, **사람의 성격을 16가지의 유형으로 나누어 설명한다.**(출처: 한국 MBTI연구소).

DISC와 MBTI와의 관계를 살펴보면 **DISC의 사람을 유형을 구분하는 기준은 MBTI검사 기준중 외향(E)과 내향(I), 사고(T)와 감정(F)**으로 생각할수 있다.

위 4가지 유형을 자세히 살펴보면
(1) 주도형(D) : 일 중심이며 명확한 결과를 생산하고 활기차고 도전을 좋아한다. 또한 리더십 기술을 갖추고 있으며 신속하게 결정을 내린다. 그들의 주요 관심사는 성취이다. MBTI로 보면 E(외향형), T(사고형)의 속성을 가진 성격유형에 가깝다.

(2) 사교형(I) : 사람들과 관계를 맺는 것을 즐기며 긍정적인 인상을 준다. 타인을 동기부여하고 기쁘게 하는 데 능숙하다. 그룹과 함께 있기 좋아하며 주요 관심사는 재미와 즐거움이다. MBTI로 보면 E(외향형), F(감정형)의 속성을 가진 성격유형에 가깝다.

(3) 신중형(S) : 세부 사항에 주의를 기울이며 익숙한 환경과 업무를 선호한다. 일을 정확하게 수행하며 자신과 타인에 대한 상황을 엄격하게 분석하고 위험 요소를 파악한다. 주요 관심사는 정보이다. MBTI로 보면 I(내향형), F(감정형)의 속성을 가진 성격유형에 가깝다.

(4) 안정형(C) : 한 가지 일에 집중하고 그것을 깊게 파고드는 것을 선호한다. 따라서 이들은 특별한 인내심, 충성심을 가지고 있다. 타인을 배려하고 협력을 선호하며 다른 사람의 이야기를 잘 듣는다. 주요 관심사는 음식이다. MBTI로 보면 I(내향형), T(사고형)의 속성을 가진 성격유형에 가깝다.

성경을 보면 하나님께서 인간을 기묘하게 창조하셨기 때문에 (시편 139:14), 행동유형이 다양하다. 하나님은 각 사람의 행동유형에 따라 적절한 사역을 할당하시고, 부족한 부분을 개발하게 한다. 이는 각 개인이 하나님께 사용될 때 그들의 고유한 특성과 필요에 맞게 하나님이 그들을 인도하시고 성장시키신다는 것을 의미한다.

1) 주도형 사람과 보조맞추기

DISC 분석에서 주도형 성격 유형과 조화를 이루기 위해서는 직접적이고 효율적이며 결과 지향적인 태도가 필요하다. 그들의 자율성에 대한 필요성을 존중하고, 명확한 사실을 제공하며 불필요한 세부 사항은 피하는 것이 좋다. 목표와 결과에 집중하고, 그들의 결단력과 직접적인 커뮤니케이션 스타일에 대비하는 것이 바람직하다.

주도적 유형은 자신의 의견을 분명하게 표현하며, 결정을 신속하게 내리는 경향이 있다. 이러한 성격 유형과 효과적으로 협력하기 위해서는 그들의 의견을 존중하고, 구체적이고 목적 지향적인 접근 방식을 취하는 것이 중요하다. 조직에서 주도형에게 보고할 때는 결론을 먼저 보고하는 것이 좋다. 다음은 **교회에서 대인관계에 어려움을 겪고 있는 주도형 사람과의 코칭 예시**이다.

코치: 교회에서 겪고 계신 구체적인 대인관계 문제를 설명해 주시겠습니까?
고객: 저는 오해받고 있는 것 같아요. 사람들이 저를 피하는 것 같고, 왜 그런지 모르겠어요.

코치: 보통 교회에서 다른 사람들과 어떻게 대화시나요?
고객: 도움이 되려고 하고 제 의견을 표현하지만, 다른 사람들은 제가 너무 직설적이거나 단호하다고 느끼는 것 같아요.

코치: 다른 사람들이 고객님의 접근 방식을 어떻게 받아들일지 생각해 보셨나요?"
고객: 사실 그렇게까지 생각해 본 적은 없어요. 솔직하고 직접적인 소통이 최선이라고 생각했어요.

코치: 교회에서의 관계를 개선하기 위해 무엇을 하면 좋을까요?
고객: 아마도 다른 사람들의 감정을 더 생각하고, 제 의견을 말하기 전에 그들의 의견을 물어봐야 할 것 같아요.

성경을 살펴보면, D형의 대표적 성경 인물로는 사도바울이 있다. 그는 도전하는 결단력과 의지력이 있는 목표지향적인 삶(빌립보서 3:13~14)과 상당히 지시적이고 직선적인 성격(살후 3:6, 10, 14)의 사도였다. 예수님은 코치로서 사도바울을 다메섹 도상에서 왜 나를 핍박하느냐? 하며 바로 복음을 증거하라(행9:1~15)하면서 일 중심인 D형의 장점을 보고 속전속결로 이야기하였다. 그리고 바울의 D형의 부족한 부분을 보완하여 독불장군처럼 혼자서 일하지 않고 디모데, 마가 등 여러 사람과 동역(행16:1~3, 빌레몬서 1:24)하고, 자신의 자랑을 배설물로 여기게(빌 3:8) 변화시키셨으며 복음 증거의 위대한 사도가 되었다.

2) 사교형 사람과 보조 맞추기

DISC에서 사교형 성격 유형과 조화롭게 지내기 위해 열린 마음과 친근한 커뮤니케이션을 추구하면 된다. 그들의 아이디어에 열정을 보이고, 창의성을 인정하며, 사교적인 성향을 받아들인다. 너무 많은 세부 사항에 집착하지 말고 협력적인 활동에 초점을 맞추며, 그들의 열정과 에너지를 함께 나눈다. 작업의 재미있고 상호작용적인 측면을 강조하여 그들의 활기찬 및 외향적 성격과 공감대를 형성하도록 한다.

. **사교형은 대화와 인간관계에서 적극적이며, 긍정적인 에너지**와 활발한 상호작용을 중시한다. 그들과의 원활한 관계를 위해, 그들의 사회적 성향을 존중하고, 함께 즐길 수 있는 활동을 공유하는 것이 중요하다. 다음은 **교회에서 대인관계에 어려움을 겪고 있는 사교형 사람과의 코칭 예시이다.**

코치: 교회에서 겪고 있는 대인관계의 어려움을 설명해 주실 수 있나요?
고객: 사람들이 제 열정을 이해하지 못하고, 때로는 지나치게 보는 것 같아요. 저는 그저 모두와 연결되고 싶을 뿐입니다.

코치: 보통 교회에서 사람들에게 어떻게 다가 가시나요?
고객: 저는 보통 대화를 시작하고, 제 생각을 공유하며, 다양한 교회 활동에 그들을 초대해요. 좋아하는 사람들도 있지만 가끔 별로 반응하지 않는 사람들도 있는 것 같아요.

코치: 다른 사람들의 반응에 따라 접근 방식을 바꿔 본 적이 있나요?
고객: 그런 것에 대해 생각해 본 적은 없어요. 제 본성대로 외향적이고 친근하게 행동하죠.

코치: 다른 사람들의 경계를 존중하면서도 더 나은 관계를 형성하기 위해서는 무엇을 해보면 좋을까요?
고객: 아마도 더 많이 듣고, 다른 사람들이 이야기할 수 있는 공간을 주는 게 좋을 것 같아요. 그들의 사교적 상호작용에 대한 편안함을 이해하는 것이 도움이 될 것 같습니다.

성경을 살펴보면, I형의 대표적인 성경 인물로는 베드로 사도이다. 베드로는 말이 앞선 변덕자이며 책임감이 약해 예수님을 배반하였고(요18:17~27), 감성적이고 행동이 충동적이며(요21:4~7), 다른 사람들에게 영향을 끼치고 싶은 열망(눅 5:8~11), 모든 것이 잘될 것이라는 긍정적 사고(막 14:27~31)를 가진 사도였다.

예수님은 코치로서 관계중심인 I형의 장점을 보고 베드로가 예수님을 부인하고 깊은 절망에 있을 때 "네가 나를 사랑하느냐?"고 관계를 세우신 후(요21:15~21) "가서 내 어린양을 먹이라"라고 하셨다. 그리고 베드로의 I형의 부족한 부분을 보완하여 변덕자가 순교자로 변하고, 초대교회의 지도자가 되게 하셨다.

3) 안정형 사람과 보조 맞추기

안정형은 세부 사항에 주의를 기울이며 익숙한 환경과 업무를 선호한다. 안정형 행동유형과 조화를 이루기 위해서는 차분하고, 지지적이며 예측할 수 있는 방식으로 접근하는 것이 중요하다. 그들의 헌신과 신뢰성에 대한 감사를 표현하면 좋다.

명확하고 일관된 정보를 제공하고, 변화를 두려워하기 때문에 변화를 처리할 시간을 줄 수 있도록 하고. 개방적인 의사소통을 장려하되 공격적이거나 대립적인 접근은 피하라. 그들은 안전과 일관성을 중시하므로 조화롭고 안정적인 환경을 조성하는 데 집중하고, 인내심을 가지고 다가가는 것은 효과적인 대화로 이어질 것이다. 다음은 **교회에서 대인관계에 어려움을 겪고 있는 안정형 사람과의 코칭 예시이다.**

코치: 성도님께서 교회에서 겪고 계신 구체적인 대인관계의 문제는 무엇인가요?"

고객 :저는 무시당하고 가치를 인정받지 못하는 것 같아요. 조화를 이루려는 제 노력이 눈에 띄지 않는 것 같습니다.

코치 : 조화.. 그 노력이 눈에 띄지 않는 것 같군요. 보통 교회 공동체에는 어떻게 기여하시나요?

고객: 남을 지원하고 충돌을 피하려고 노력하는데, 제 기여가 인정받지 못하는 것 같아요."

코치: 혹시 교회 안에서 누군가에게 자신의 감정을 표현해 본 적이 있나요?

고객: 아니요, 그런 적이 없어요. 불편함을 조성하거나 필요 이상으로 보이고 싶지 않아서요.

코치: 그렇다면 자신의 필요를 주장하면서도 가치 있게 여기는 조화를 유지하기 위해 어떤 것을 우선 실천하면 좋을까요?

고객: 아마 몇몇 가까운 구성원과의 개방적인 대화를 시작하고, 부드럽게 제 감정을 표현해야 할 것 같아요.

성경을 살펴보면 S형의 대표적인 성경 인물로는 아브라함이다. 그는 롯과의 재산 분배 시 갈등을 피하려고 몸부림쳤고(창13:8~9), 충성심이 강하고 순종하여 창대한 복을 주기로 한 하나님의 약속을 믿고 고향을 떠났으며(창12:1~4), 충성스럽고 성실한 사람(창14:16)이었다.

하나님께서는 S형의 장점인 충실하고 믿음이 깊은 아브라함에게 창대한 복을 줄 것이라는 말로 잘 설득하여 고향을 떠나는 순종이 있게 하였고 S형의 부족한 부분인 변화를 싫어하는 행동 특성을 타향에서 잘 이겨내게 하여 결국 믿음의 조상이 되도록 하셨다.

4) 신중형 사람과 보조 맞추기

신중형은 꼼꼼하고 체계적인 접근을 선호한다. 따라서 대화 시 명확하고 구체적인 정보를 제공하고, 철저한 사실 기반의 접근을 하는 것이 좋다. 그들의 의견을 신중하게 듣고, 생각을 나눌 충분한 시간을 제공하고 비판적이거나 서두르는 태도는 피하며 차분하고 논리적인 대화를 유지한다. 신중형은 안정성과 질서를 중시하므로, 일관된 태도와 예측할 수 있는 행동으로 신뢰를 구축하는 것이 중요하다.

이러한 접근 방식은 신중형과의 효과적인 소통과 협력을 이끌 것이다. 신중형과의 대화에서는 그들의 세심함과 정확함을 인정하고 존중하는 것이 중요하며, 그들이 제시하는 사실과 정보에 근거하여 대화를 진행하는 것이 좋다.

성경에서 살펴보면, C형의 대표적 성경 인물로는 모세이다. 그는 하나님의 율법을 완벽하게 가르쳤고 철저한 복종이 있었으며(신4:1~4). 이스라엘 민족의 출애굽을 명령하는 하나님에게 세심한 질문을 하였고 답을 요구하였다(출3:10~11, 4:1~2, 4:10~14, 출7~12), 또한 매우 유능하고 지혜가 충만하였다. (행7:22).

하나님은 C형의 장점인 탁월하고 정확한 모세를 선택하여 출애굽을 명령하셨고 분석적이고 세심한 질문에 일일이 답(출3:10~11, 4:1~2, 4:10~14, 출7~12)을하여 출애굽의 위대한 여정을 이루어 내게 하셨다. 결국 생각이 많은 모세를 광야 40년을 이스라엘 민족을 이끄는 실천가나 지도자로 거듭나게 하시고 지면에서 가장 온유한 자가 되게 하셨다(신34:4~5)

다음은 **교회에서 대인관계에 어려움을 겪고 있는 신중형 사람과의 코칭 예시이**다.

코치: 교회에서 겪고 계신 대인관계 문제에 관해 설명해 주시겠습니까?

고객: 사람들이 저와의 대화를 피하는 것 같아요. 제가 너무 비판적이거나 세부사항에 집중하는 것으로 보이는 것 같습니다.

코치: 교회에서 다른 사람들과 어떻게 대화하시나요?

고객: 조언하려고 하고 개선할 부분을 지적하는데, 잘 받아들여지지 않는 것 같습니다.

코치: 혹시 본인의 성향이 대인관계에 어떤 영향을 미치는지 고려해 보셨나요?

고객: 그렇게까지 생각해 본 적은 없어요. 저는 사실과 효율성에 초점을 맞추지만, 그게 비인간적으로 보일 수도 있겠네요.

코치: 본성을 지키면서 대인관계를 개선할 수 있는 대화접근 방법은 무엇일까요?

고객: 아마도 제 의견을 제시하기 전에 다른 사람들의 관점을 더 듣고 이해하는 데 초점을 맞춰야 할 것 같습니다.

지금까지 살펴본 것처럼 **DISC 행동유형별로 코치가 적절하게 보조를 맞추면 (Pacing) 매우 효과적이면서도 강력한 신뢰 관계를 만들어 나갈 수 있다.** 예수님은 위에서 언급했듯이 동역자들에게 각자의 행동유형에 맞도록 코치하셨고 행동유형에 부족한 부분을 알아차리게 하여 자신의 행동유형도 개발될 수 있는 축복이 있게 하셨다. 예수님은 인간이면서 신이기에 DISC의 4가지 유형의 부정적인 요소가 없는 완벽성을 지니고 계신 것이므로 거룩한 예수 그리스도의 행동유형을 따르는 것이 중요하다고 생각한다.

성경을 살펴보면 예수님이 유형별로 주요 사역을 감당하시는 것을 볼 수 있다. D형으로서 **"다 이루었다."** 하시고 십자가 위에서 구원 사역의 마지막 완성의 마침표(요19:30)를 찍으셨으며, I형으로서 가나의 혼인 잔치에서 남에게 기쁨을 주시고(요2:1~10), 간음한 여자의 허물을 덮어주시며(요8:3~11), S형으로서 십자가의 인내(히12: 1~3)와 풍랑 속에서의 평안(마8:24~26), 제자들의 발을 씻기신 섬김(요13:3~11, 눅22:27, 막10:45)의 종이셨으며, C형으로서 원칙(마4:4~10)과 논리적(마5:45~46)이신 분이셨다.

5) 성경의 인물 DISC 유형 분석

형태	인물	비고
D	바울, 미갈, 솔로몬, 루디아, 여호수아, 바로, 아볼로, 스데반, 라반, 사라,	
I	베드로, 리브가, 아론, 사울왕, 바나바, 아비가일, 다윗,	
S	아브라함, 한나, 이삭, 도르가, 느헤미야, 마르다, 야곱, 안나	
C	모세, 요한, 에스더, 누가, 마리아, 룻, 엘리야, 요나	

출처 : 미국 콜롬비아 대학 William Moulton Marston의 disc로 분석

크리스천 코칭

제4장 질문하기

대답하여 이르시되

나도 한 말을 너희에게 물으리니 내게 말하라

(누가복음 20:3)

1 › 질문의 정의

1) 질문이란 무엇인가?

네이버 국어사전에는 **"알고자 하는 바를 얻기 위해 묻는 것이다."**라고, 되어있다. 일반적으로 한 개인이 다른 개인에게 문제나 궁금한 점을 질문함으로써 그 문제나 궁금한 점을 해결하게 되거나 해결할 단서를 찾게 된다.

(1) 코칭의 영역에서 질문은 상대방이 깊이 성찰하게 하고 자신의 문제나 과제를 **스스로 해결해 나갈 수 있도록 인도하는 코칭기술**이며 코칭에서 경청만큼 중요하다. 질문은 고객의 더 깊은 이해와 자기 인식을 촉진한다. 이는 성찰을 촉

진하고, 생각을 불러 일으키며, 강력한 통찰력으로 이어질 수 있다. 코치가 질문을 할 때도 질문의 기본적인 기술과 스킬이 필요하다. 그러므로 질문은 삶의 중요한 부분이다. 무엇의 시작은 생각으로부터 일어나고 생각의 시작은 질문으로부터 일어난다. 그리고 질문으로 스스로 답을 찾는다. 답을 찾으면 행동한다.

(2) **질문은 삶 속에서, 코칭 중에도 고객뿐만 아니라 코치 자신도 내적공간이 열리는 것을 경험하게 한다.** 이 내적공간 안에는 진정한 행복, 순수한 존재로서의 자신의 의식이 발견된다. 결국, 코칭을 통해서 내적공간 안에서 나를 발견하게 된다. 자극과 반응 사이의 이 내적공간 안에는 잠깐멈춤, 성찰, 침묵이 있다. 참고적으로 국제코칭연맹의 역량에서 코치는 침묵, 멈춤, 성찰을 허용한다고 언급한다.

(3) **현대경영학의 창시자 피터드러커는 "20세기 위대한 리더가 위대한 답을 주었다면 21세기 위대한 리더는 위대한 질문을 해야 한다."**라고 하였다. 이만큼 코칭에서 질문하는 방법은 매우 중요하다. 질문은 긍정적이고 중립적인 언어를 사용하여 개방적으로 해야 하며, 이는 코칭의 본질인 자각과 책임감을 일깨우는 중요한 방법이다. 개방적인 질문은 폐쇄적인 질문보다 효과적이며, 부정적이거나 판단적인 언어 대신 긍정적이고 중립적인 언어를 사용하여 긍정, 미래, 확장의 의미를 담아야 한다. **질문의 기본은 5W 1H(언제, 어디서, 누가, 무엇을, 어떻게, 왜)와 관련된 질문이다.** 그러

나 '왜'라는 질문은 종종 비판적인 의미를 내포하고 방어적인 반응을 유도할 수 있으므로 가급적 피하는 것이 좋다. 질문은 코치의 관점이 아니라 고객의 관심사와 생각을 따라야 한다.

2) 강력한 질문은 무엇인가?

강력한 질문은 의식의 변화를 일으켜서

(1) 이슈와 문제가 명확해지고

(2) 생각의 전환이 일어나고

(3) 새로운 통찰력이 얻어지며

(4) 열정과 호기심이 유발되고

(5) 의식이 확장되며

(6) 혁신적인 가능성이 생기도

(7) 새로운 해결 방안이 도출되고 실행력이 생기는 것이라고 한다.

그러나 **강력한 질문은 세련되고 이론적인 질문보다는 현실의 삶에서 상대방의 처한 상황과 마음을 읽고 질문하는 것**이라고 생각한다. 가령, 공원의 겨울 벤치에 앉아 계시는 배고프고 힘들어 보이는 노인에게 당신의 정체성은 무엇입니까? 한들 그 무슨 의미가 있겠는가?. 그 노인에게는 "할아버지! 식사하셨나요? 밥을 대접하고 싶은데 어떠세요?" 하며 현실 속에 처한 상황에 맞는 질문이 가장 강력한 질문이다.

앞으로 언급할 **성경 속의 질문은 강력한 내면의 성찰 질문들이다.** 이 질문들이야말로 **삶의 깨달음의 극치이며** 자기 인생의 문제에, **성경에서 말하는 해답을 얻게 되며 깊은 묵상을 통한 회복**이 있게 된다. **성경에서 만나는 예수님은 최고의 질문자이시다.** 그분은 다양한 상황과 환경에서 통찰력 있는 질문을 던져 제자들을 가르치시고, 핵심을 찌르는 질문으로 우매한 무리를 일깨우시고 또 그의 대적자들을 무력화시키셨다. 왜 우리가 크리스천으로 살아가면서 강력한 질문 속에 스스로 답을 찾아가야 하는지를 보여준다.

2   **질문의 효과**

질문은 코칭 과정에서 중요한 역할을 한다. 코치로서, **질문을 통해 고객의 깊은 사고와 자기성찰을 촉진하는 것이 코칭의 핵심인데 고객이 자기 내면을 탐색하고, 자기 생각과 감정을 명확히 이해하는 데 도움을 준다.** 고객이 자신의 상황에 대해 더 깊이 생각하고, 다양한 관점에서 문제를 바라볼 수 있도록 돕는 것이 중요하다.

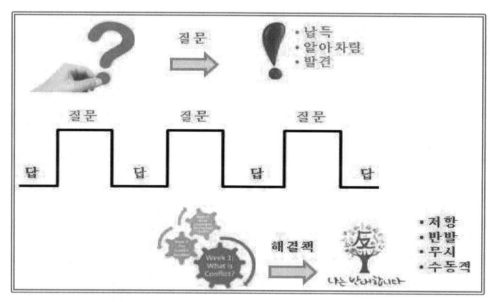

[작전타임 STOP 코칭(김만수, 손용민 외 1인). 2021] 참조

질문을 하면 납득하고 알아차리고 발견하는데, 해결책을 주면 저항, 반발, 무시하고 수동적으로 된다. 한국적인 문화나 가부장적인 조직문화에서는 질문이 부

족하고 주로 지시와 해결책 제시, 조언, 충고만 있는 경우가 많다. 이러한 문화는 변화무쌍한 현대 사회, 특히 IT, AI, 메타버스를 기반으로 한 4차 산업혁명에 제대로 대응하지 못한다. 반면, 애플, 구글, 페이스북과 같은 선진 기업들은 질문과 답하는 주도적이고 창의적인 조직문화를 가지고 있다. 이러한 주도적이고 창의적인 조직문화가 현대 세계 경제를 이끌고 있다.

따라서 우리나라의 리더들은 질문을 의도적으로 활용하고, 모두가 질문하고 답하는 자연스러운 분위기를 조성해야 한다. 리더는 자신과 외부 환경에서 일어나는 것을 잘 알아차리고, 호기심을 가지며, 상대방에게 주의를 기울여야 한다. 이를 통해 자연스럽게 질문할 수 있는 환경을 만들어야 한다.

질문 워밍업으로 자신 또는 타인에게 질문해보고 질문의 효과를 생각해 보자

1) 상대방 또는 자신이 삶에서 가장 힘들어할 때 질문하고 싶은 것은?
2) 내가 지금, 이 순간, 나 자신에게 진실로 하고 싶은 질문은?
3) 가장 사랑하는 사람에게 질문하고 싶은 것은?
4) 가장 미워하는 사람에게 질문하고 싶은 것은?

3 ▶ 질문의 종류

코치가 코칭의 상황과 맥락에 맞는 적절한 질문하는 것이 중요하다. 더 중요한 것은 상대방이 평가받거나 추궁당하는 느낌의 질문보다는 **깊이 성찰하게 하고 자신의 문제나 과제를 스스로 해결해 나갈 수 있도록 인도해 주는 질문이 코치들에게 요구된다.**

1) 닫힌 질문과 열린 질문

질문에는 닫힌 질문과 열린 질문으로 크게 구분할 수 있다. **닫힌 질문은 대답이 "예" 혹은 "아니요" 식의 질문이다. 열린 질문은 대답이 두 개 이상을 하게 하는 질문이다.** 영어로 "5W1H" 관련된 질문이다. 즉 When(언제), Where(어디서), Who(누가), What(무엇을), How(어떻게), Why(왜)로 시작하는 질문이 열린 질문이다. 여기에서 "왜"로 시작하는 질문은 조심해야 한다. 자칫 신문하는 듯한 뉘앙스를 주기 때문에 상대방에게 불편함을 줄 수 있기 때문이다.

닫힌 질문과 열린 질문 비교표

구분	닫힌 질문	열린 질문
예시 1	"이 프로젝트를 기한 내에 완료할 수 있겠습니까?"	"이 프로젝트를 완료하기 위해 어떤 계획을 세우고 있습니까?"
예시 2	"오늘 기분이 좋습니까?"	"오늘 어떤 일들이 기분을 좋게 만들었습니까?"
예시 3	"이번 결정에 만족하십니까?"	"이번 결정을 내리는 과정에서 어떤 고려 사항들이 있었습니까?"
예시 4	"이 일을 계속하고 싶습니까?"	"이 일을 하면서 어떤 점들이 당신에게 의미가 있습니까?"
예시 5	"이번 회의에서 논의된 내용에 동의하십니까?"	"이번 회의의 논의 내용 중 어떤 부분이 당신에게 가장 중요하다고 생각하십니까?"
특징	주로 '예' 또는 '아니요'로 대답할 수 있는 질문	답변자가 자기 생각, 감정, 경험을 자세히 설명할 수 있는 질문
사용 목적	구체적인 정보를 빠르게 확인할 때 유용	대화 상대의 생각과 감정을 깊이 탐색하고자 할 때 유용
적용 분야	짧은 시간 내에 결론이 필요한 상황	상대방의 의견, 생각, 감정을 깊이 이해하고자 하는 상황

2) 부정적인 질문과 긍정적인 질문

부정적인 질문은 비난, 한계, 문제점에 초점을 맞추며 부정적인 감정이나 고정관념을 강화할 수 있다. 이런 질문은 대화 상대를 방어적으로 만들거나 자신감을 저하시킬 수 있다. 반면, **긍정적인 질문은 해결책, 가능성, 성장에 초점을 맞추고, 대화 상대의 자기효능감과 창의력을 증진시킨다.** 이런 질문은 대화 상대를 격려하고 긍정적인 변화와 성장을 촉진한다. 그래서 코칭 질문은 긍정적인 질문을 사용하는 것이 코칭에 도움이 된다.

부정적 질문과 긍정적 질문 비교표

구분/ 유형	부정적 질문 (과거, 현재)	긍정적 질문 (미래, 가능성)
예시 1	"왜 항상 문제를 해결하지 못하나요?"	"이번 문제를 해결하기 위해 우선적으로 무엇을 시도해 볼 수 있을까요?"
예시 2	"왜 계획이 항상 실패하는 건가요?"	"앞으로의 계획에서 성공을 위해 어떤 변화가 있으면 좋을까요?"
예시 3	"왜 항상 시간에 늦는 건가요?"	"시간에 늦지 않기 위해 어떤 개선이 있으면 좋을까요?"
예시 4	"왜 다른 사람들과 잘 어울리지 못하나요?"	"사람들과 소통하기 위해 어떤 방법을 시도해 볼 수 있을까요?"
예시 5	"해결하지 못한다면 누구 에게 책임이 있습니까?"	"그것을 해결한다면 누가 해결할 가능성이 있을까요?
특징	부정적인 어조로 상대방을 비난하거나 문제 부각 질문	상대방을 격려하고 해결책을 모색하도록 도와주는 긍정적인 질문
사용 목적	문제점을 지적하거나 비판적인 평가를 할 때 사용됨	상대방의 자기효능감을 증진시키고 창의적인 사고를 도와줄 때 사용됨
적용 분야	피드백이나 평가 상황에서 주의가 필요함	코칭, 멘토링, 팀 빌딩, 개인 개발 상황에서 효과적임

3) 과거 질문과 미래 질문

질문 중에서 과거를 물어보는 질문이 있고, 미래를 물어보는 질문이 있다. 코치는 상황에 따라서 과거 질문과 미래 질문할 수 있다. 코칭은 고객이 하고 싶은 것, 성취하고 싶은 것, 만들고 싶은 것에 관한 내용이 주로 다루어진다. 그래서 코치는 과거 질문보다는 미래 질문을 더 많이 사용한다고 볼 수 있다. 물론 고객이 원하는 것, 성취하는 것을 위해서 과거 질문을 활용할 수 있다. 즉 과거의 성공과 실패를 통해서 배운 교훈 등의 자원을 탐색할 때 활용한다.

[과거 질문의 예]

- 가장 힘들었을 때는 언제인가요? 그것을 통해서 배우게 된 것은?
- 가장 성공하였을 때는 언제인가요? 그때 기분은? 배운 점은?
- 그때 당신은 무엇을 하셨나요?
- 그 문제는 언제부터 시작되었다고 생각하십니까?
- 이전 프로젝트에서 어떤 어려움을 겪었나요?
- 과거에 당신을 가장 행복하게 만든 것은 무엇이었나요?

[미래 질문의 예]

- 당신이 원하는 것이 언제쯤 이루어졌으면 하세요?
- 당신이 원하는 것이 이루어졌을 때 어떤 모습이세요?
- 당신의 미래는 어떻게 될 것 같은지요?
- 당신이 꿈꾸는 삶의 모습은?
- 만약 5년 후의 모습이 지금 당장 이루어졌다면 어떤 상태일까요?
- 지금의 문제가 3년이 지속한다면 어떻게 될 것 같으세요?
- 다음 프로젝트에서 달성하고 싶은 목표는 무엇인가요?
- 미래에 당신의 행복을 위해 추구하고 싶은 것은 무엇인가요?

4) As if Questions(만약 ~~~이라면)

"As if" 질문은 "만약에 ~이라면"의 가정적 질문으로서 코칭에서 강력한 도구로 사용되며, 고객이 마치 원하는 상황이나 목표가 이미 달성된 것처럼 상상하고 그에 따른 통찰과 해결책을 탐색하도록 도와준다. 코칭에서 많이 사용하고 있으며 **고객이 생각하고 있는 관점을 넘어 생각해보게 하는 질문**이다. 혹은 한정된 조건에서 문제나 과제를 해결할 방안이 없어 보일 때 필요한 질문이며 고객의 의식을 확대하도록 하는 질문이다. 예시는 다음과 같다.

- "만약 당신에게 아무런 제약이 없다면 10년 후에는 언제, 어디서, 누구와 무엇을 하고 있을 것 같나요?".
- "만약 당신이 이미 그 목표를 달성했다고 가정한다면, 당신은 3년 뒤에는 무엇을 하고 있을까요?"
- "만약 당신이 자신감이 넘친다고 상상한다면, 오늘 당신은 어떤 도전에 맞서게 될까요?"

---

5) 사분면 질문과 시간선 질문

근대 철학의 창시자 데카르트는 어느 날 침대에 누워있었다. 데카르트는 천장 위에 붙어있는 파리를 보았다. 그 순간 파리가 있는 곳을 설명하는 수학적인 법칙을 만들었다. 데카르트 좌표이다. 데카르트 좌표는 기하학과 대수학의 만남이 되었다. 사분면 질문은 데카르트 좌표를 활용한 질문이다. 즉 X좌표에 해당하는 질문은 "~을 하지 않는다. (-A)"와 "~을 한다. (+X)"이다. Y좌표에 해당하는 질문은 "~이 생긴다. (+Y)"와 "~이 생기지 않는다. (-Y)"이다. 즉 고객의 의식적, 무의식적 마음 상태가 X, Y 좌표에 어디에 있는지 스스로 찾아보도록 하는 질문이다.

사분면 질문은 고객이 중요한 의사결정을 할 때 필요하다. 즉 "결혼을 해야 할지 말아야 할지?", "회사를 그만둬야 할지 아니면 계속 다녀야 할지?", "대학원에서 박사과정에 참가할 것인지 말아야 할지?" 등이다. 만약 "회사를 그만둬야 할지 아니면 계속 다녀야 할지?"에 대하여 4분면 질문할 수 있다. "회사를 그만둔다면 어떤 것이 생길까요?, 회사를 그만둔다면 어떤 것이 생기지 않을까요? 혹은 없어질까요?, 회사를 계속 다닌다면 어떤 것이 생길까요?, 회사를 계속 다닌다면 어떤 것이 생기지 않을까요? 혹은 없어질까요?"라고 질문한다. 중요한 것은 비 평가적으로 질문한다. 유익한 것은?, 해로운 것은? 좋아지는 것은?, 나빠지는 것은? 등의 질문은 평가적인 질문이다. 이런 질문들은 우리의 에고 의식 혹은 자의식을 활성화하는 질문이다. 그러면 틀에 박힌 답을 하게 되며 질문의 효과는 반감된다.

또한, 시간선 질문은 시간 변화의 상태를 질문한다. **시간선 질문으로 미래전략 또는 상황을 인지하고 새로운 것을 도전하게 하거나 혹은 현재의 상태를 재점검하게 하는 질문이다.** 예를 든다면 만약 이 회사를 그만두었을 때 1~3년 후는 어떤 상태가 될까요? 또는 만약 이 회사를 그만두지 않았을 때 1~3년 후는 어떻게 될까요? 라고 질문한다.

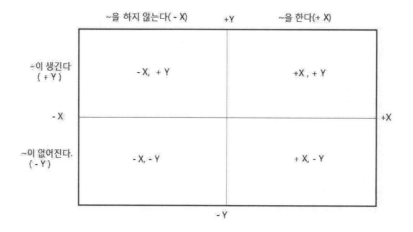

4분면 질문(데카르트 좌표)

 코칭의 맥락에서, 질문은 더 깊은 이해, 반성, 그리고 자기인식을 촉진하는 도구이다. 이는 생각을 자극하고, 자기 탐색을 할 수 있도록 하며, **고객이 자신의 생각, 감정, 그리고 목표를 보다 더 명확하게 표현할 수 있는** 환경을 조성하는 데 목적이 있다.

 질문역량의 핵심요소인 **기법과 도구활용, 고객의 의미 확장과 구체화, 통찰, 관점 전환과 재구성, 가능성 확대를 위한 질문으로 고객의 의식을 확장시키는 것을 돕는다.** (2002, (사)한국코치협회). 질문역량의 핵심 요소를 세부적으로 보면 다음과 같다.

1) 고객의 의미 확장과 구체화

 (1) 코치는 질문을 통하여 고객의 발언 의미를 확장시키는 동시에 그 의미를 모아 더 구체화하고 명료하게 만드는 역할을 한다. 넓은 범위에서 시작하여 점차 범위를 좁혀가는 깔때기 형식의 방식이 필요하다. 코치가 고객에게 더 구체적인 대답을 요구함으로써 고객의 집중력과 관심을 유지시킬 수 있다. 고객이 적극적으로 참여하도록 하기 위해서는 코치가 핵심 요소들을 깊이 있게 파고들어 고객의 의식으로 들어가는 것이 중요하다. 다음은 고객의 말을 구체화하거나 명료화하도록 돕는 코칭 질문예시이다.

> • 그 주제를 조금 구체적으로 말씀해 주시겠습니까?
> • 이 상황에 영향을 미친다고 생각하는 핵심 요소는 무엇입니까?
> • 이 문제와 관련해 가장 중요하게 생각하는 것은 무엇인가요?
> • 지금까지 말씀하신 것을 초점을 맞추어 한 문장으로 정리해 보시겠습니까?

(2) 고객이 하는 말은 그들의 의식적이고 무의식적인 생각을 외부로 나타내는 것이다. 그러므로 코치는 고객이 말하는 내용 뿐만 아니라 그들의 목소리 톤, 몸짓 등을 주의 깊게 관찰하고, 맥락에 맞춰 적절한 질문을 함으로써 고객의 생각의 크기, 수준, 범위를 넓힐 수 있다. 만약 고객이 표면적인 문제에만 초점을 맞추고 있다거나, 과제에 대한 구체적인 방법론에 머물러 있다면, 코치는 그 너머의 문제를 탐색할 수 있는 질문을 통해 의미가 확장되도록 도와 고객의 생각을 가치 탐색이나 궁극적인 목표 탐색 등 더 깊은 차원으로 이끌 수 있다.

고객의 말을 경청하고 맞춤형 질문을 통해 고객이 인식하지 못한 잠재적인 욕구를 발견할 수 있으며, 이는 고객의 내면적 가치관과 정체성을 이해하는 데에도 도움이 될 수 있다. 결국, 고객의 말을 듣고 그 의미를 확장하도록 돕는 것은 코칭의 중요한 부분이다.

코치가 **고객의 표면적인 문제를 넘어 탐색할 수 있는 질문예시**는 다음과 같다.

- 이 문제가 고객님에게 진정으로 중요한 것은 무엇입니까?
- 이 상황에서 고객님의 핵심 가치와 목표는 무엇이라고 생각하십니까?
- 만약 이 상황에서 모든 제약이 없다면, 고객님은 무엇을 달리하시겠습니까?
- 현재의 문제를 넘어 고객님이 추구하는 이상적인 결과는 무엇입니까?
- 이 문제를 해결했을 때 고객님의 삶에 어떤 변화가 생길 것이라고 기대하십니까?

2) 고객의 통찰

코칭에서 고객이 자각이나 통찰을 얻도록 돕는 것은 중요한 과정이다. '자각'은 자신과 주변 환경에 대한 인식, 알아차림, 의식을 의미한다. **'통찰'은 고객이 '아하'라고 불리는 새로운 알아차림이 있는 것을 말한다.** 또한, 통찰은 코칭 과정에서 코치와 고객이 동시에 엄청난 역동이 일어날 때 생기는 것이라고도 한다. 고객이 코칭을 통해 얻을 수 있는 중요한 혜택 중 하나는 자각과 통찰이다. 자각과 통찰을 통해 고객은 변화와 성장을 향해 나아갈 수 있는 단계를 밟게 된다. **코치는 기본적으로 질문을 통해 클라이언트가 자각과 통찰을 얻도록 돕고, 고객의 상황과 특성에 따라 침묵, 은유, 비유 등 다양한 기법과 도구를 사용한다.** 다음은 자각과 통찰 질문예시이다

---

1) 이 상황에서 당신이 가장 원하는 변화는 무엇이며, 그 변화를 위해 당신이 할 수 있는 첫걸음은 무엇일까요?

2) 이 문제에 관해 이야기하시는 동안, 당신 안에서 일어나는 감정의 변화를 느껴보시겠어요? (잠시 침묵)이 침묵의 순간에 당신이 느끼는 것은 무엇인가요?

3) 만약 당신의 현재 상황을 한 척의 배에 비유한다면, 당신은 어떤 바다를 항해하고 있나요? 그리고 당신은 그 배의 어느 부분에 서 있나요?

4) 당신이 지금 겪고 있는 이 도전을 마라톤과 비교한다면, 당신은 지금 어느 지점에 서있나요? 그리고 결승선을 향해 나아가기 위해 무엇이 필요하다고 느끼시나요?

위 질문들은 **고객이 자신이 원하는 변화를 명확히 하고, 그 변화를 향한 구체적인 행동 계획을 세우도록 돕는다.** 고객은 자신의 목표를 향해 실질적인 첫걸음을 내딛는 데 필요한 자원과 전략을 고민하게 된다.

3) 고객의 관점 전환과 재구성

고객이 관점을 전환하거나 재구성하도록 돕는다는 것은 고객이 세상을 바라보

는 사고의 틀을 바꾸는 것이다. 관점은 세상을 바라보는 사고의 틀이며, 관점 전환은 이러한 사고의 틀을 변경한다는 의미가 있다. 패러다임 전환, 상자 밖의 생각, 역지사지는 모두 관점 전환과 밀접한 관련이 있다. 고객이 가지고 있는 관점이 고객의 삶의 목적과 일치하지 않을 경우, 코치는 고객이 새로운 관점을 설정할 수 있도록 돕는다. 이를 위해 코치는 고객을 깊이 관찰하고, 질문을 통해 고객이 자신의 사고 틀을 전환하고 재구조화할 수 있도록 지원한다.

다음은 관점 전환과 재구성의 질문예시이다.

1) 만약 당신이 이 상황을 존경하는 그 분의 눈으로 바라본다면, 어떤 해결책을 발견할 수 까요?

2) 만약 하나님이 당신에게 말씀하신다면 이 상황에 대하여 무엇을 보라고 하실 것 같으세요?

4) 고객의 가능성 확대

코치는 고객의 상황, 경험, 사고, 가치, 욕구, 신념, 정체성 등을 탐색함으로써 가능성을 확대하는 데 도움을 준다. 코칭 과정 전반에 걸쳐 호기심을 유지하며, 고객의 다양한 측면이 그들의 삶의 목적과 어떻게 일치하고 있는지, 한 방향으로 잘 정렬되어 있는지를 관찰하고 탐색한다. 코칭 중에 고객의 삶의 목적과 맞지 않거나 도움이 되지 않는 부분이 발견될 경우, 코치는 고객이 스스로 깨닫거나 통찰할 수 있는 질문을 통해 긍정적인 변화와 성장을 이끌어낸다.

실행과 목표 달성의 가능성을 확대하기 위해서는 고객이 최종적으로 달성할 목표의 이미지를 생생하게 상상하게 하고, 그를 통해 구체적인 행동으로 나아가도록 이끌어내는 것이 좋다. 다음은 가능성 확대를 위한 질문예시이다.

1) 당신이 가장 중요하게 여기는 가치는 무엇이며, 그 가치가 당신의 삶의 목적과 어떻게 연결되어 있다고 느끼시나요?

2) 당신이 최종적으로 달성하고 싶은 목표를 생생하게 상상해 보려고 하는데 가능할까요?. 그 목표를 달성했을 때의 모습은 어떠하며, 그로 인해 당신의 삶에 어떤 변화가 일어날 것이라고 기대하시나요?

3) 당신이 지금까지 살아온 삶을 되돌아볼 때 경험에서 배운 교훈을 현재 상황에 어떻게 적용할 수 있을까요?

5 성경의 질문

성경에는 느낌표, 마침표, 의문문 같은 부호가 없다. 그러나 적절한 부호를 상상하면서 읽어야 한다. 때로는 쉼표를 넣어서 생각에 잠겨보기도 하고, 내가 말씀에 은혜받고 결단할 때는 단호하게 마침표도 찍어도 볼 것이다. 또한, 의문표를 넣어 하나님께 질문을 드려보기도 한다.

성경의 질문은 강력한 Step Back 질문들이다. 이 질문들이야말로 삶의 깨달음의 극치이며 자기 인생의 문제에, 성경에서 말하는 해답을 얻게 되며 깊은 묵상을 통한 회복이 있게 된다. 성경에서 만나는 예수님은 최고의 질문자이시다. 그분은 다양한 상황과 환경에서 통찰력 있는 질문을 던져 제자들을 가르치시고, 핵심을 찌르는 질문으로 우매한 무리를 일깨우시고 또 그의 대적자들을 무력화시키셨다. 왜 우리가 크리스천으로 살아가면서 질문 속에 스스로 답을 찾아가야 하는지를 보여준다. 이 질문의 성찰을 통해 우리가 나아가야 할 길과 결단을 삶으로 행동하게 될 것이다.

1) 핵심 질문

(1)"네가 어디 있느냐?"(창 3:9)

이 질문은 **선악을 알게 하는 나무를 먹고 숨은 아담을 향해 하신 질문이다.** 이 말은 하나님이 인간을 창조하시고 인간을 실존적 존재로 인정하는 엄청난 질문이다. 이 말 속에는 세 가지 뜻이 있다. 첫 번째 너는 왜 나를 피하느냐? 라인 것이고, 두 번째 너는 지금 무엇을 하고 있느냐이며, 세 번째 하나님이 아담의 문제를 돕고 싶다는 것이다. **인간을 실존적 존재로 인정하는** 깊고 깊은 사랑을 주시는 하나님을 도망하여 숨어 있지 말고 하나님 앞으로 나오라는 말이다. **"내가 너를 도와 주마 너의 수치를 감싸주마"**라는 뜻이 이 말 속에 들어 있다. (하용조 목사 강해 발췌)

(2)"네가 어디서 왔으며 어디로 가느냐?"(창 16:8)

이 질문은 **사라로부터 도망친 아브라함의 둘째 부인 하갈에게 하신 질문이다.** 이 질문은 하나님이 하갈을 통해서도 놀라운 역사를 이룰 준비를 하고 계셨음을 보여준다. 이 질문에 하갈은 그저 **"나는 나의 여주인을 피하여 도망하나이다."**라고 자신의 처지를 한탄하듯 말할 수밖에 없었다. 그러나 하나님의 사자는 이때 하갈이 어떻게 행동해야 할지 알려주면서 그에게 중요한 약속을 전했다.

일단 하갈은 여주인에게로 돌아가 복종하면서 아들을 낳아야 했다. 그 아들을 통해서 한 민족을 이루고 번성하게 하실 것이라고 하나님은 약속해 주셨다. (9-10절). 이렇게 하나님은 아이를 잉태한 후 주인에게 쫓겨난 딱한 애굽 여인의 고통도 들어주신다. 하갈이 낳을 아들의 이름을 '이스마엘'이라고 하였는데 **"하나님이 들으신다"**라는 뜻이다. 하갈은 주인에게 쫓겨나서 중요한 경험을 하고는 하나님에 대해 깨달았다. 그래서 그 샘을 **"브엘라해로"**이라고 불렀다. "나를 돌보시는 살아 계신 하나님의 우물"이라는 뜻이다(13절). **하나님은 부족하고 연약한 자의 고통에도 귀를 기울이시는 분이심을 우리가 알 수 있다.** 우리의 인생이 어디로 와서 어디로 가는지 하나님은 우리에게 분명하게 알려주신다. (방선기 원용일 직장사역 연구소 발췌)

(3) 너희는 나를 누구라 하느냐? (마 16:15)

이 질문은 **열두 제자에게 하신 질문**이다. 제자들이 예수님을 따라다닌 지가 어언 2년이 지났을 무렵이다. 예수님은 그동안 늘 제자들과 함께 생활하셨고 많은 말씀과 가르침을 주셨다. 특히 예수님이 많은 능력과 기사를 행하실 때 바로 가까이에서 그 일을 똑똑히 목격하고, 체험했던 제자들이다. 그래서 예수님은 제자들에게 물어보고 싶으셨을 것이다.

오늘 여러분은 과연 여기에 대해 어떻게 대답할 것인가? 예수님께서 제자들에게 **"너희는 나를 누구라 하느냐"**고 물으셨을 때 베드로가 나서서 이렇게 대답한다. **"주는 그리스도시요 살아 계신 하나님의 아들이시니이다."** 이것이 바로 예수님께서 가장 기뻐하시고 원하시는 바른 고백이었다. 예수님은 베드로의 고백을 들으시고 너무나도 기뻐하셨다. 그래서 본문 17절 이하에 보면 예수님은 베드로에게 엄청난 축복을 약속하신다. 이것을 보면 예수님께서 바른 신앙의 고백을 얼마나 기뻐하시고 칭찬하시는지를 알 수 있다. 우리가 기도를 많이 하고 헌금도 많이 하고 봉사도 많이 하는 것도 좋지만 그 무엇보다 먼저 예수님에 대한 바른 신앙의 고백이 있어야 한다. (영주신광교회 김동락 목사 강해발췌)

(4) 네가 나를 사랑하느냐? (요 21:15-17)

이 질문은 **베드로가 예수님을 3번 부인하고 예수님이 돌아가신 후 디베랴 바**

닷가로 돌아온 베드로에게 찾아가서 부활하신 예수님께서 하신 질문이다. 주님을 배반하여 용서받지 못할 베드로에게 찾아와서 "네가 나를 사랑하느냐?"라고 묻는 이유가 무엇인가? 그것은 예수님께서 죄 많고 일어서기조차 힘든 베드로에게 회복과 치유와 사명을 주기 위해 그런 것으로 해석한다. 이때 우리가 주님의 일을 하기 전에 먼저 물을 질문이 무엇인가 '과연 내가 이 일을 할 수 있을까?'가 아니다. '이 일은 내가 좋아하는 일인가?'도 아니다. '나는 주님을 사랑하는가?'이다.

목사가 예수를 사랑한다면 맡기신 양들을 사랑으로 돌보게 돼 있다. 교회 중직자들이 예수님을 사랑한다면 예수님의 몸 된 교회를 사랑하고 최선을 다해 섬기기 마련이다. 예수님은 당신을 사랑하는 제자에게 다시 주를 위해 일하도록 일으켜 주셨다. 당신이 진실로 예수님을 사랑한다면 당신을 위해 죽으시고 부활하신 주님의 뜻을 따라 살아야 한다. (기흥 지구촌교회 안용호목사 강해 발췌)

2) 기타 주요 질문

(1) 네 손에 있는 것이 무엇이냐? (출 4:2)

이 질문은 **광야에서 불타는 떨기나무로 모세를 부르며 하신 질문이다.**
이 질문은 모세가 지금 지팡이를 가지고 있다는 것을 분명하게 인식시키기 위한 질문이다. 모세가 하나님의 명령에 순종하여 애굽을 향해 출발하는 순간부터, 모세의 지팡이는 하나님의 지팡이가 되었다. 하나님께서 모세에게 주신 아무 쓸모도 없었던 것처럼 보이는 평범한 마른 막대기 하나처럼, 하나님께서 저와 여러분들에게 주신 것이 분명히 있다. 내 모습 이대로, 부족하고 미약하더라도 내게 있는 것으로 순종하고 전진하면 오늘도 하나님께서는 놀라운 기적으로 우리와 함께해 주실 것이다. 오늘 '내 손에 있는 것'으로 하나님의 영광을 드러내게 하실 것이다. (일산명성교회 문성욱목사 강해 발췌)

(2) 네가 무엇을 보느냐? (렘 1:11)

이 질문은 **하나님께서 눈물의 선지자 예레미야를 처음 부를 때 하신 질문이다.** 우리는 보고 있는 것을 통해 생각하기도 하지만 생각하고 있는 것을 보기도 한다. 무엇을 보느냐 하는 것은 그가 가지고 있는 관심의 방향과 내용일 수 있다. 그런 점에서 **"네가 무엇을 보느냐?" 물으신 것도 네 마음은 지금 어디를 향하고 있느냐를 물으신 것일 수도 있다.** 우리가 무언가를 볼 때 모두가 같은 것을 보는 것은 아니다. 같은 자리에서 같은 것을 본다고 해도 서로 다른 것을 본다. 어떤 마음으로 보느냐 하는 것에 따라 보는 것과 그 의미가 달라지기 때문이다.

하나님이 **"무엇을 보느냐"**고 했을 때 에레미야가 살구나무를 보고 있다고 대답했다. 그때 여호와께서 내가 내 말을 지켜 그대로 이루려 함이니라" 하신 것은 "**살구나무가 잠을 자지 않고 깨어 있는 것처럼 주님께서도 주님의 말씀이 이루어지는 것을 깨어보고 계시다"**라는 뜻이다. 살구나무는 이른 봄에 가장 먼저 꽃을 피우기 때문에 사람들은 살구나무가 겨울에도 전혀 잠을 자지 않는다고 생각했다. 그것은 여호와께서 맡긴 말씀이 어떻게 이루어지는 것을 깨어보고 계시다는 뜻이 아니겠는가? 에레미야의 가슴은 얼마나 떨렸을까? (성지교회 한희철 목사 강해 발췌)

또한, **우리의 삶에서 우리는 무엇을 보느냐가 중요하다.** 다윗의 부하인 요압 장군은 다윗처럼 행동했다. 요압은 좋은 믿음의 사람도 아니요, 지도력이 탁월한 사람도 아니었다. 하지만 단지 믿음과 지도력의 사람 다윗 옆에 있었다는 것만으로 그리고 선한 영향력을 받았다는 것만으로도 그는 달라졌다. 그는 결국 전쟁에서 암몬 자손을 무찌르게 된다. 우리는 하나님께서 무엇을 보느냐를 질문하실 때 항상 깨어 있어서 예수님의 선한 영향력을 생각하는 것이 중요하다. 패배하고 도망하는 것을 보니 그게 마음에 들어오고 패하는 것이다.

요압은 단지 다윗 옆에 있으면서 고난의 시절부터 함께 하고 또 하나님이 함께 하시는 모습을 본 것만으로도 선한 영향력을 받은 것만으로도 그는 큰 승리를 맛보게 된다. 무엇보다 우리는 예수 그리스도의 선한 영향력 아래 있어야 한다. 악한 세상 가운데서 우리의 힘 되시고 능력 되시는 예수님을 옆에 모시고 살아갈 때 우리 삶이 변화되고 능력이 있고 그 영향력 아래 살아가는 것이다. (꿈의교회 김학중 목사 강해발췌)

(3) 너희 믿음이 어디 있느냐?" (누가복음 8장 22~25절)

주님의 이 질문은 **너희들은 아직도 내가 누구인지를 알지 못하고 나를 온전히 믿지 못하고 있느냐에 대한 질문**인 것 같다. 제자들을 향해 "너희 믿음이 어디 있느냐"라고 물으시는 이 주님의 음성은 오늘 우리에게도 똑같이 하고 계시는 질문이다.

(4) "그 아홉은 어디 있느냐?" (누가복음 17장 11~19절)

예수님께서는 병이 나아 감사하는 사마리아 한센병 환자에게 어떤 축복을 주셨나? **"일어나 가라, 네 믿음이 너를 구원하였느니라"** 구원의 선언이었다. 병이 낫게 되자 예수님을 찾아온 환자는 유대인이 아니라 사마리아 이방인이었다. 선택받은 9명의 유대인은 병은 나았지만, 감사를 못 해서 구원에서 제외되어 버린다. 우리에게 강건한 삶을 위해서 가장 필요한 것이 있다면 그것은 감사인 것이다. (박원근 목사: 한국기독교장로회 총회장. 서울 이수중앙교회, 강해 발췌)

(5) "아직도 깨닫지 못하느냐?" (마가복음 8:21)

이 질문은 **제자들에게 앞에 있었던 두 차례 이적을 상기시켜 주시는 질문**이다. 물고기 두 마리와 보리떡 다섯 개로 오천 명을 먹이셨던 사건, 떡 일곱 개와 작은 물고기 두어 마리로 사천 명을 먹이셨던 사건을 기억나게 하신 것이다. 그리고 지금 제자들이 가지고 있는 떡을 생각하게 하신 것이다.

그렇다. 예수님께서는 떡을 하나의 상징으로 말씀하셨다. 오병이어의 이적 때 주님께서 손에 드셨던 그 떡, 칠병이어의 이적 때 주님께서 손에 드셨던 그 떡, 그리고 지금 제자들이 손에 쥐고 있는 그 떡 같은 떡이지만 다른 떡이라는 말씀입니다. 앞의 두 떡은 믿음의 떡이지만, 지금 제자들이 들고 있는 떡은 염려의 떡이라는 말씀입니다. 예수님께서 제자들에게 이것을 깨달으라고 말씀하고 계신 것이다.

깨닫는 것은 아는 것과 다르다. 우선 깊이가 다르다. 깨닫는 것은 사실 속의 사실을 발견하는 것이다. 그리고 깨닫는 것은 체험을 통해 그 사실이 나와 어떤 관련이 있는지를 발견하는 것이다. 오늘 우리는 어떨까요? 우리는 잘 깨닫고 있을까요? 여전히 눈에 보이는 것만 보면서 그 안에 담긴 하나님의 뜻을 깨닫지 못하고 있는 것은 아닐까요? (상도 중앙교회 박봉수 목사 강해 발췌)

(6) "너희가 무엇을 보려고 나갔더냐?" (누가복음 7장 24~26절)

누구보다 리더들이 현실을 바로 본다면 희망이 있다. 우리는 하나님의 뜻을 보아야 한다. 다윗은 시편 121편 1~2절에 **"내가 산을 향하여 눈을 들리라 나의 도움이 어디서 올까 나의 도움은 천지를 지으신 여호와에게서로다"**라고 고백한다. 다윗은 산을 보고 하나님의 도우심을 본 것이다. 하나님의 뜻을 보지 못한 율법사들과 바리새인들의 어리석음을 생각하며 우리는 어떤지 살펴보아야 한다(홍성 제일감리교회 김대경 목사 강해 발췌).

(7) "너희도 가려느냐? (요한복음 6장 67절)

오늘날 많은 사람은 '예수님을 믿으면 만사형통한다'라고 생각하고 신앙생활을 합니다. 물질의 복을 얻고 본능적 욕망을 충족하기 위해 주님을 따르는 사람이 많다. 예수님께서 이스라엘 백성들에게 하늘의 진리를 설명할 때 그들은 예수님을 떠났다. 떠난 이유는 명백하다. 세상의 욕망을 채우려고 주님을 따랐기 때문이다. **예수님은 우리에게도 동일한 질문을 하신다.** "너희도 가려느냐." 요한복음 6장 68절에 나온 베드로의 고백을 기억하라. "주여, 영생의 말씀이 주께 있사오니 우리가 누구에게로 가오리일까." 여러분의 고백은 무엇입니까?. 여러분은 어떤 이유로 예수님을 믿고 있습니까?. (서울 서북교회 배경락 목사 강해 발췌)

(8) "너희 생명이 무엇이냐?"(야고보서 4장 14절)

"너의 생명이 무엇이냐? 잠깐 보이다가 없어지는 안개니라" 하나님을 떠난 모든 향락은 잠깐 있다가 없어지는 것이다. 뿐만 아니다. 우리가 이 면을 분명히 깨달으면 적극적 면으로 생각할 때 축복을 받는 자리에 나아갈 수 있다. 우리가 이 세상이 잠깐이란 것을 알면 한 초 한 분을 아껴서 주의 일을 할 것이다. 일할 수 없는 밤이 속히 온다. 낮이 될 때 너희는 일하라고 주님께서는 말씀하셨다. "내 발로 걸어 다닐 수 있을 때 한 집이라도 심방하고 한 사람에게라도 복음을 전파하세요. 내 다리로 걸어 다닐 수 없는 때가 속히 옵니다. 여러 청년, 성가대나 유년부나 책임 맡기면 할 수 있을 때 열심히 잘하셔요. 왜냐하면 오십 대가 지나면 유년부 맡고 싶어도 누가 안 맡깁니다"

."너희 생명이 무엇이냐? 잠깐 보이다가 없어지는 안개니라' 우리 육신 생명은 이렇단 말이다. 그런 까닭으로 우리 믿는 사람은 인생의 육신 면은 이런 것을 깨닫고 잠깐 있다가 없어지는 이런 생활을 할 것이 아니라 **영원히 살 수 있는 생명을 얻어서 이 세상에서는 바로 살고 육신 면을 초월해서 영원히 사는 영생을** 우리가 얻어야 하겠다. (한경직 목사 설교집 1권에서 발췌)

인생의 중요한 순간이 올 때 성경의 질문을 통해 성찰하고 우리가 나아가야 할 길과 결단을 삶으로 행동하게 될 것을 믿는다. (한기채 목사: 교회성장연구소 발췌)

(1) 구약의 주요 질문 : 하나님이 묻습니다.

① 하나님과 멀게만 느껴질 때, **"네가 어디 있느냐?"** (창3:6~21)

② 하나님 앞에 죄인처럼 느껴질 때, **"여호와의 성산에 오를 자 누구인가?"** (시편 24:1~6)

③ 깊은 슬럼프에 빠졌을 때- **"네가 어찌하여 여기 있느냐?"** (열상(19:1~14)

④ 정체성이 흔들릴 때, **"네 이름이 무엇이냐?"** (창32:22~32)

⑤ 남에게 옹졸하고 인색할 때, **"네 아우가 어디 있느냐?"** (창4:1~12)

⑥ 사명자로서 부족하게만 느껴질 때, **"네 손에 있는 것이 무엇이냐?"** (출4:1~17)

⑦ 하나님의 부르심이 부담스러울 때, **"누가 우리를 위하여 갈꼬?"** (사6:1~13)

⑧ 삶에 고난이 찾아올 때, **"네가 아느냐?"** (욥38:1~7)

⑨ 가망이 없다고 느껴질 때, **"여호와께 능치 못한 일이 있겠느냐?"** (창18:9~15)

⑩ 상황에 얽매여 낙심할 때, **"여호와의 손이 짧아졌느냐?"** (민11:10~23)

⑪ 앞길이 절망적이고 막막해 보일 때, **"어느 때까지 나를 멸시하겠느냐?"** (민13:25~14:11)

⑫ 하나님께 삶을 다 드리기 망설여질 때, **"어느 때까지 둘 사이에서 머뭇머뭇하려느냐?"** (열상 18:20~24)

(2) 신약의 주요 질문 : 예수님이 묻습니다.

① 나의 정체성과 믿음이 흔들릴 때, "나를 누구라 하느냐?" (마16:13~20)

② 환난 가운데 두려워할 때, ."너희 믿음이 어디 있느냐?" (눅8:22~25)

③ 은혜를 망각하고 살아갈 때, ."그 아홉은 어디 있느냐?" (눅17:11~19)

④ 신앙생활에 실패했을 때, ."네가 나를 사랑하느냐?" (요21:15~18)

⑤ 같은 실수를 반복하며 배우지 못할 때, "아직도 깨닫지 못하느냐?"

　　(마16:5~12)

⑥ 예배의 목적이 모호해질 때, "너희가 무엇을 보려고 나갔더냐?"

　　(눅7:24~28)

⑦ 말씀을 알 뿐 살지 않을 때, "네가 어떻게 읽느냐?" (눅10:25~28)

⑧ 중요한 무엇이 빠진 것처럼 느껴질 때, "너희가 믿을 때 성령을 받았느냐?"

　　(행19:1~7)

⑨ 나 자신이 하찮게 느껴질 때, "무엇을 주고 자기 목숨과 바꾸겠느냐?"

　　(막8:34~38)

⑩ 감사와 감동이 사라져갈 때, ."누가 저를 더 사랑하겠느냐?" (눅7:36~50)

⑪ 예수님을 따르는 것이 어리석어 보일 때, "너희도 가려느냐?" (요6:52~71)

⑫ 세상에 마음을 빼앗기고 살아갈 때, "생명이 무엇이냐? "(약4:13~17)

이상과 같이 성경은 일방적으로 말하지 않는다. 질문하고 소통하고 대화한다. 그 속에서 우리의 삶은 놀라운 감동과 은혜가 있고 변화하게 된다.

결국, 성경의 질문은 우리를 생각하게 하고 자신의 존재를 고민하게 한다. 그리고 하나님과 자신과 온 열방과 궁극적으로 하나님 나라에 대하여 새로운 눈이 열리게 된다. 성경이 주는 질문에 어떻게 답변하고 스스로 행동하는가에 따라서 우리의 삶은 달라질 것이다.

제5장 피드백하기

그러므로 너희는 하나님이 택하사

거룩하고 사랑 받는 자처럼

긍휼과 자비와 겸손과 온유와 오래 참음을 옷 입고

누가 누구에게 불만이 있거든 서로 용납하여 피차 용서하되

주께서 너희를 용서하신 것 같이 너희도 그리하고

이 모든 것 위에 사랑을 더하라

(골로새서 3:12~14)

1 피드백의 정의

피드백이란 과거 행동에 대한 정보를 바탕으로 현재에 어떤 영향을 미치고 있는 것을 알아차리고, 미래의 삶에 더 좋은 영향을 미칠 것을 기대하고 발견하는 과정이다. 단, 충고, 조언, 설명식 피드백은 상대가 방어적으로 되고 마지못해하는 행동이 유발되므로 인정, 칭찬을 통한 코칭식 교정이 필요하다.

피드백은 다양한 분야에서 중요한 역할을 하는 개념으로, 정보나 반응이 원래의 출처로 다시 전달되는 과정을 의미한다. 이 개념은 소통, 학습, 행동 조정 등 여러 맥락에서 활용되며, 각각의 분야에서 피드백의 역할과 의미는 다르게 해석된다.

표준국어대사전에서 정의한바,

1) 물리학 분야에서는 "입력과 출력을 갖춘 시스템에서 출력에 따라 입력을 변화시키는 일, 증폭기나 자동 제어 따위의 전기 회로에 많이 사용한다"라고 명시되어 있다.
2) 교육 분야는 "학습자의 학습 행동에 대하여 교사가 적절한 반응을 보이는 일"이며,
3) **심리 분야는 "진행된 행동이나 반응의 결과를 본인에게 알려주는 일"**이라고 한다.
4) 언론매체 분야는 "수용자 반응에 대한 전달자의 대응적 반작용"이라고 정의한다.

따라서 피드백은 그 의미와 적용 방식이 분야마다 다르게 해석되며, 각 분야에서의 피드백은 해당 분야의 특성과 요구에 맞추어 진행된다. 그러나 **코칭에서 피드백의 정의는 심리학에서의 정의를 기본적으로 따른다.** 즉 코칭 과정에 고객이 참여하면서 나타나는 고객의 행동이나 반응의 결과를 고객 자신에게 알려주는 것을 말한다.

2 피드백의 중요성

1) 코칭 과정에서 피드백의 중요성은 매우 크다. **피드백은 코칭 과정을 통해 고객이 자신의 생각, 감정, 행동에 대해 깊이 있게 탐색하고, 자기 인식을**

높이는 데 필수적인 역할을 한다. 피드백을 통해 고객은 자신의 행동과 태도에 대한 객관적인 시각을 얻고, 이를 바탕으로 자신의 성장과 발전을 위한 구체적인 계획을 세울 수 있다.

2) 코치는 피드백을 제공함으로써 **고객이 자신의 강점을 인식하고, 이를 기반으로 잠재력을 최대한 발휘할 수 있도록 격려한다.** 또한, 피드백은 고객이 자신의 약점이나 개선이 필요한 영역을 인식하고, 이를 개선하기 위한 실질적인 방안을 모색하도록 돕는다. 이 과정에서 코치는 비평가적이고, 지지적인 방식으로 피드백을 제공하여, 고객이 긍정적인 변화를 이루도록 도와준다.

3) 피드백은 또한 **고객이 자신의 목표와 가치에 부합하는 행동을 취하도록 하는 데 중요한 역할**을 한다. 코치는 피드백을 통해 고객이 자신의 목표를 명확히 하고, 그 목표 달성을 위한 효과적인 전략을 수립할 수 있도록 지원한다. 이렇게 피드백은 코칭 과정에서 고객의 자기 인식, 성장, 목표 달성을 위한 핵심 요소로 작용한다.

4) 또한 **코칭 과정에서 고객의 변화와 성장은 피드백에서 시작하고 피드백으로 마무리**가 된다. 코칭에서 목표 설정은 사전 설문서, 인터뷰, 각종 진단 등을 통해 고객에게 정확한 피드백을 제공함으로써 시작된다. 이러한 초기 단계에서의 피드백은 고객의 현재 상태와 필요를 파악하는 데 중요한 역할을 한다. 코칭 세션 중에는 고객의 행동이나 반응을 주의 깊게 관찰하며, 코치가 거울 역할을 하여 고객이 자신의 행동을 객관적으로 볼 수 있도록 도와준다. 이때의 피드백은 고객이 자신의 행동을 인식하고 필요한 변화를 이룰 수 있도록 하는 데 중점을 둔다.

5) **코칭 과정의 마무리 단계에서는 코칭 목표 달성 여부에 대한 사후 진단 및 평가 결과를 통해 피드백을 제공**한다. 이 마지막 피드백은 고객이 코칭 과정

동안 이룬 성과와 발전을 평가하는 데 도움을 주며, 필요한 경우 추가적인 목표 설정이나 계획 수정에 대한 방향을 제시한다. 이렇게 코칭은 피드백에서 시작하여 피드백으로 마무리되며, 피드백은 코칭 과정 전반에 걸쳐 매우 중요한 기술이다.

3 피드백의 효과

피드백의 효과성은 피드백의 특성에 따라 달라질 수 있다. 피드백의 특성은 구체적으로 피드백의 제공자, 전달방식, 빈도, 구체성으로 구분해 볼 수 있다. 특히 피드백의 빈도의 경우 자주 제공할수록 업무성과에 긍정적인 영향을 미칠 것 같지만 반드시 그런 것만도 아니다. 다만 **구체적 피드백을 주기 어렵다면 빈번한 피드백을 주는 것도 동일한 효과를 얻을 수 있다고 한다. 결국, 피드백을 자주 제공할 수 없는 상황이라면 빈번한 피드백보다 는 한번 피드백을 줄 때 구체적으로 하는 것이 더 유리**하다고 한다.
(Based on "The Interaction Effects of Frequency and Specificity of Feedback on Work Performance. Journal of Organizational Behavior Management" by Park, J. A. Johnson, D. A., Moon, K., & Lee, J., 39(3-4), 2019.)

그렇다면 코칭에서 피드백의 효과를 더 깊이 있고 체계적으로 이해하기 위해 세 가지 주요 관점으로 정리하였다.

1) 개인과 팀의 성장 및 성과향상

피드백은 개인의 성장과 팀의 발전에 핵심적인 역할을 한다. 구체적이고 명확한 피드백은 개인이 자신의 현재 위치와 개선해야 할 영역을 인식하는 데 도움을 준다. 이 과정에서 피드백은 다음과 같은 방식으로 기여한다:

(1) 자기 인식의 증진

개인은 자신의 행동, 기술, 태도에 대한 직접적인 관찰을 통해 자기 인식을 높일 수 있다.

(2) 성장을 위한 구체적 방향 제시

피드백은 개인에게 어떤 행동이나 기술이 긍정적인 영향을 미쳤는지, 그리고 앞으로 어떤 방향으로 발전해야 하는지 구체적인 가이드라인을 제공한다.

(3) 성과향상

개인과 팀 모두 피드백을 통해 명확한 목표를 설정하고, 이를 달성하기 위한 전략을 수립할 수 있다. 이는 궁극적으로 성과향상으로 이어진다.

2) 사람과의 유대감 형성

피드백은 사람들 사이의 신뢰와 유대감을 형성하는 데 중요한 역할을 한다. 효과적인 피드백은 다음과 같은 방식으로 관계를 강화한다:

(1) 신뢰 구축: 진실하고 개방적인 피드백은 개인 간의 신뢰를 구축한다. 이는 팀원들이 서로를 더 잘 이해하고, 서로에 대한 신뢰를 강화하는 기반을 마련한다.

(2) 개인의 가치 인식: 개인이 자신의 기여가 인정받고 가치 있게 여겨진다고 느낄 때, 팀 내에서의 유대감이 강화된다.

3) 리더십의 효과적 발휘

피드백은 리더십을 효과적으로 발휘하는 데 필수적인 요소이다. 리더는 피드백을 통해 다음과 같은 방식으로 영향력을 미칠 수 있다

(1) **공동 목표 달성**: 리더는 피드백을 통해 팀원들과 공동의 목표를 명확히 공유하고, 이를 달성하기 위한 전략을 함께 수립할 수 있다.

(2) **개선 방향 설정**: 리더는 관찰을 바탕으로 팀의 현재 상황을 평가하고, 개선이 필요한 영역에 대해 구체적인 방향을 제시할 수 있다. 이는 팀의 성장과 발전을 촉진한다.

종합적으로, 피드백은 개인의 성장, 사람들 사이의 유대감 형성, 그리고 리더십의 효과적인 발휘에 있어 중요한 역할을 한다. 피드백은 코칭 과정에서 불가결한 요소이며, 이를 통해 개인과 팀 모두 지속적인 발전과 성과향상을 이룰 수 있다.

4 ⟩ 피드백 역량의 핵심 요소

피드백의 기본전제는 고객의 존재를 존중하고 인정하는 것으로부터 시작된다고 본다. 통상 잘못된 피드백은 지적질이란 단어로 마음에 상처를 입기도 하고, 조직에서는 갈등의 요인이 되기도 한다. 피드백은 코칭 과정을 통해 고객이 자신의 생각, 감정, 행동에 대해 깊이 있게 탐색하여야 하는데 코치는 고객과의 신뢰적인 관계 구축이 너무나도 중요하다.

코칭 과정에서 고객의 변화와 성장을 위해 피드백에서 시작하고 피드백으로 마무리가 되는 관점에서 볼 때 고객과의 관계구축을 위해 수평적 파트너십, 마음열기, 존재인정, 진솔함의 자세, 호기심은 코칭 중에 피드백을 잘하기 위한 핵심요소(2022. (사)한국코치협회)로 말할 수 있으며 이 핵심요소는 코칭의 전반적인 기술에 고루 활용된다.

1) 수평적 파트너십

코치는 고객을 수평적인 관계로 인정하고 대하여야 한다. 이는 코치와 고객 간의 상하관계가 아닌 동반자적인 관계를 의미한다. 이러한 관계 설정은 상호 이익의 증대를 목적으로 하며, 코치와 고객이 서로 존중하는 계약 관계를 형성한다. 코치는 코칭 세션 중에 일방적이거나 지시적인 태도를 취하지 않는다. 오히려 고객의 존재를 수평적으로 인정하고, 중요한 결정에 있어서는 고객 스스로 선택하고 결정할 수 있도록 요청한다.

코치는 지시나 명령, 단정적인 언어 사용을 지양하며, 컨설팅이나 가르치려는 태도, 충고나 훈계하는 언어 사용도 피한다. 이는 코치와 고객 간의 신뢰와 존중을 기반으로 하는 관계를 유지하고, 고객의 자기 결정권을 존중하기 위함이다. 이런 수평적 관계 설정은 고객이 자신의 삶과 관련된 중요한 결정을 스스로 내릴 수 있는 환경을 조성하며, 코칭 과정의 효과를 극대화하는 데 기여한다.

2) 마음열기

(1) **코치는 고객과의 라포(Rapport)를 형성하여 마음을 열게 하여 안전한 코칭 환경을 유지한다.** 이를 위해 신뢰감과 안전감을 바탕으로 하는 고객 중심의 코칭 관계를 만들어 가는 것이 필수적이다. 그러므로 라포를 통해 상대방이 마음을 열고 피드백을 받을 준비를 할 수 있도록 하는 것은 코칭에서 매우 중요하다.

(2) 사람들은 피드백을 주로 약점이나 부정적인 부분에 대한 것으로 인식하므로, 피드백을 주고받는 과정에서 불편함과 긴장을 느낄 수 있다. 이러한 상황에서 코치가 갑작스럽게 피드백을 제공하면 고객의 반발을 일으킬 수 있다. 따라서 코치는 **코칭 세션 중에 자신이 본 것, 생각한 것, 느낀 것을 피드백할 때, 고객의 동의를 얻는 것이 필수적이다. 이를 통해 고객은 피드백을 수용할 준비가 되며, 코칭 세션의 효과를 극대화**할 수 있다.

(3) 코치는 피드백을 통해 고객이 자신의 강점과 약점을 인식하고, 성장과 발전을 도모할 수 있도록 도와야 한다. 이 과정에서 코치와 고객 사이의 신뢰와 존중이 중요하며, 고객이 편안하고 안전하게 느끼는 환경을 조성하는 것이 필수적이다. 결국, 라포는 코칭 과정에서 고객의 변화와 성장을 위해 피드백에서 시작하고 피드백으로 마무리가 되는 관점에서 볼 때 코칭 시작의 중요한 역량이라고 할 수 있다.

(4) 코치는 라포를 형성하기 위해 공감, 반영, 인정, 칭찬 등의 기법을 사용한다. 고객에게 긍정적인 반응, 인정, 칭찬, 지지, 격려 등의 언어를 사용하여 신뢰감과 안전감을 제공하고 최적의 코칭 환경을 조성한다. 이러한 언어 사용은 고객이 믿음과 편안함을 느끼게 하고, 위험이 없다고 느끼도록 한다. 코치는 고객에게 지속해서 지지와 공감, 관심을 보여주어야 하며, 코칭 세션 중 고객에게 집중하고 적절하게 반응한다.

그러나 상대와의 비교, 판단, 비평, 강요, 당연시하는 언어 사용은 피해야 한다. 이러한 언어 사용은 고객과의 신뢰 관계를 해치고, 안전한 코칭 환경을 저해할 수 있기 때문이다. 따라서 코치는 긍정적이고 지지적인 언어 사용을 통해 고객과의 라포를 강화하고, 효과적인 코칭 환경을 조성하는 데 주력한다. 이러한 것은 고객을 피드백하는 데 중요한 코칭 기술이라 하겠다.

(5) 다음은 피드백하기 전에 마음을 여는 Open Door Questions으로 상대방이 코치의 피드백을 받아들일 준비를 하도록 돕는 질문예시이다. 피드백할 때는 상대방이 코치의 피드백 내용을 수용할지 아니면 거부할지를 선택할 수 있도록 허용하는 것이 중요하다.

- 고객님~ 잠깐 피드백을 드려도 될까요?
- 그 부분에 대하여 나는 다른 생각이 있는데 말해볼까요?
- 혹시 아닐 수도 있는데 내 생각을 이야기하고 싶은데 어떤가요?
- 이야기를 듣고 보니 하나의 생각이 떠올랐는데요. 말해볼까요?
- 오늘 코칭하면서 알아차린 것이 있는데 말해도 될까요?

3) 존재를 존중하고 인정한다.

코치는 고객을 있는 그대로 존중하고 진정성 있게 대해야 하며, 코칭 과정에서 고객의 특성, 정체성, 스타일, 언어와 행동 패턴을 알아주고 고객의 고유한 재능, 통찰, 노력을 인정하고 존중하는 것이 중요하다. 코칭 대화 중에는 고객과 자연스러운 대화의 흐름을 유지하는 것이 마치 춤추듯이 이루어져야 한다.

코치는 고객과의 코칭 관계에서 자신의 주관적인 판단, 평가, 해석을 자제해야 한다. **객관적이고 공감적인 접근을 통해 고객이 자신의 경험과 감정을 표현하고, 자기 인식을 높일 수 있는 환경을 조성**해야 한다. 이러한 접근은 고객이 자신의 강점과 가능성을 발견하고, 코칭 목표 달성을 위한 길을 스스로 찾아가는 데 도움을 준다. 따라서 코치는 고객의 개별성을 존중하고, 그들의 코칭 과정에 적극적으로 참여하면서 그들의 성장과 발전을 지원해야 한다. 결국, **이 존중과 인정은 피드백에서 중요한 요소로 자리 잡고 있다.**

4) 진솔함

코치는 고객과의 관계에서 자신의 생각, 느낌, 감정, 알지 못함, 취약성을 솔직하게 드러내며 신뢰를 구축한다. 이는 코치가 경험하고 느낀 바를 있는 그대로 표현하는 것을 의미하며, 고객과의 관계를 진정성 있게 만든다. 코치의 진솔함은 비평과 해석 없이 자신이 보고 느낀 것을 그대로 전달하는 것이다. 진정한 코칭 관계는 기분을 맞추는 것이 아니라, 진솔한 태도를 바탕으로 형성된다.

코치가 자신의 진실을 용기 있게 말할 때, 고객도 올바른 대처 방법을 배울 수 있다. 코치는 고객이 이해할 수 있는 언어와 적절한 은유를 사용하여 설명해야 하며, 전문적인 용어 사용을 최소화해야 한다. 이를 통해 고객은 코칭 대화 내용을 보다 잘 이해하고, 코칭 과정에 더 깊이 참여할 수 있다. 이러한 접근은 고객의 자기인식을 높이고, 성장과 발전을 지원하는 데 기여한다.

5) 호기심

코치는 코칭 세션 중에 고객의 주제와 존재에 대한 깊은 관심과 호기심을 보여주어야 한다. 이는 고객이 자신의 경험과 생각을 더욱 자유롭게 표현하고, 자기인식을 높이는 데 도움을 준다. 코치의 이러한 태도는 고객이 자신의 문제를 탐구하고, 자신만의 해결책을 찾는 데 중요한 역할을 한다. 코치의 관심과 호기심은 고객이 코칭 과정에 더 깊이 참여하고, 자신의 성장과 발전을 위한 길을 발견하는 데 도움을 준다. 피드백을

다음은 위 1)~5) 까지의 핵심요소인 수평적 파트너십, 마음열기, 존재를 존중하고 인정하는 태도, 진솔함, 호기심을 바탕으로 **교회 내 대인관계에 어려움을 겪고 있는 고객에게 코칭한 이해를 돕기 위한 간단한 코칭 예시이다.**

코치: "오늘 우리가 함께 시간을 보내며 대화할 주제에 대해 말씀해 주셔서 감사하구요. 저의 생각을 말씀 드려도 될까요?(네) 교회 내에서의 대인 관계에 대해 느끼시는 어려움을 자유롭게 나누어주시면 어떨까요?. 성도님의 이야기에 최선을 다해 귀 기울이겠습니다." **(마음열기)**

성도: "네, 사실 교회에서 사람들과 소통하는 것이 어렵게 느껴져요. 특히, 소그룹 모임에서 제 의견을 자유롭게 표현하는 것이 힘들어요."

코치: "그렇게 느끼시는 것을 이해합니다. 소그룹 모임에서 의견을 표현하기 가 어렵다고 하셨는데. 어떤 이유 때문인지 나눠주시겠어요? **(호기심)**

성도: "음, 제 의견이 다른 사람들에게 잘못 전달될지 봐 걱정되고, 제가 말을 할 때 사람들이 휴대폰을 보거나 다른 이야기를 할 때는 말문이 닫혀버려요.

코치: 그헐군요.. 정말 이해가 됩니다. 제가 잠깐 피드백을 드려도 될까요? **(존재를 존중하며 동의를 구함)**

성도: 네~

코치: 제가 보기에, 당신은 굉장히 세심하고 생각이 깊은 분이세요. 실은 저도 코치지만 어떨 때는 나의 말이 잘못 전달될지 봐 걱정도 대화 중에 상대방이 휴대폰을 잠깐 본다든가 하면 코칭이 잘 안돼서 속상할 때도 있어요**(진솔함)**. 그래서 그것은 성도님만의 잘못은 아닌 것 같아요.

성도: 이해해줘서 감사합니다.. 돌이켜보면 제가 속이 좁아서 그런건지도 모르죠..

코치: 와우~ 그런생각을 가지신 성도님을 하나님은 이쁘게 보실것 같아요 그런 상황에서 어떻게 은혜롭게 대처해야하는지 함께 생각해 볼까요?" **(수평적 파트너쉽)**

위 예시는 코치가 고객의 대인관계에 대한 어려움을 깊이 이해하고자 하는 호기심을 바탕으로, 고객의 경험과 생각을 자유롭게 표현하고 자기 인식을 높이는 데 도움을 주는 과정을 보여준다. 코치는 고객의 관점에서 진행되는 탐구 과정을 통해 고객이 자신만의 해결책을 찾고, 자신의 성장과 발전을 위한 길을 발견하는 데 도움을 준다.

6) 코칭 마무리 단계에서의 피드백

코치는 고객이 실행한 결과를 성찰하도록 돕고, 차기 실행에 반영하도록 지원한다. 코치는 실행 결과에 대해 고객과 함께 점검하고 실천 과정을 성찰할 수 있도록 도우며, 성찰을 통해 알게 된 긍정적 요소를 강화하고 부정적 요소를 제거하여 다음 실행의 성공 가능성을 높일 수 있도록 지원한다.

고객이 실행하면서 성찰한 것을 차기 실행에 반영하도록 돕기 위해서는 코칭 세션과 세션 간, 그리고 세션 종료 시 고객이 실행한 것을 직접 요약, 정리하게 하고 그 과정에서 알아차린 것을 표현하도록 요청하는 것이 효과적이다.

코치의 피드백은 고객의 긍정적인 변화 성장과 미래 가능성에 초점을 맞추는 것이 중요하다. 고객 자신이 받는 피드백이 고객의 성장과 발전을 바라는 코치의 선한 의도에서 나온 것이라 느낄 때 고객 스스로 긍정적으로 피드백을 수용하고 차기 실행에 적극적으로 적용하게 될 것이다. 질문예시는 다음과 같다.

- "이번 실행에서 당신이 가장 자랑스러워하는 성과는 무엇이었나요?
- 그 성공적인 요소들을 어떻게 다음 행동 계획에 적용할 수 있을까요?"
- "이번 실행에서 마주친 어려움이나 예상치 못한 도전은 무엇이었나요?
- 그 경험에서 얻은 교훈을 바탕으로, 다음 시도에서 어떻게 이러한 부정적 요소를 개선할 계획인가요?"

1) 샌드위치 피드백

샌드위치 피드백은 긍정적인 피드백, 개선이 필요한 부분, 다시 긍정적인 피드백 순으로 제공하는 **방법이다.**

샌드위치를 만들 때 식빵 두 개와 햄, 치즈, 양파 등 맛을 내는 핵심 부분, 세 개의 층으로 구성되면 맛이 일품이다. 이 방식은 피드백을 받는 사람이 비판적 내용에 대해 방어적으로 반응하는 것을 줄이는 데 도움이 될 수 있다. 샌드위치 피드백의 첫 부분은 고객이 잘한 점을 인정하고 칭찬하는 것으로 시작한다. 이는 고객의 자신감을 높이고 긍정적인 분위기를 조성한다.

중간 부분에서는 개선이 필요한 부분을 지적한다. 이때 중요한 것은 비판적인 언어 사용을 피하고, 구체적이며 객관적인 사실을 기반으로 문제점을 지적하는 것이다. 또한, 이 부분에서는 고객이 스스로 문제를 인식하고 해결 방안을 모색할 수 있도록 도와야 한다.

마지막 부분에서는 다시 긍정적인 피드백을 제공하여 고객의 자신감을 회복시키고, 피드백을 수용할 수 있는 마음가짐을 조성한다. 이러한 샌드위치 피드백 방법은 코칭에서 고객의 성장과 발전을 촉진하는 데 도움을 줄 수 있으며, 고객과의 관계를 강화하는 데에도 기여한다. 그러나 **고객이 피드백의 진정성을 느끼지 못하게 하는 기계적인 접근은 피해야 한다.** 다음 그림은 교회나 조직에서 샌드위치 피드백의 예시이다.

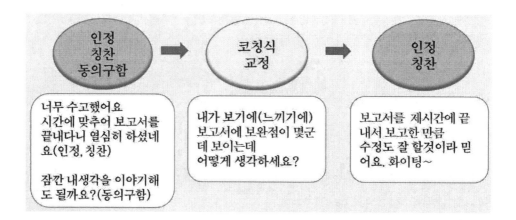

2) 효과적인 4가지 영역별 피드백

코치가 피드백을 제공할 때는 내 생각이 1%라도 틀릴 수 있다는 전제를 가지고 자신이 제시하는 내용이 주관적일 수 있다는 것을 인지하는 것이 중요하다. 피드백은 코치의 개인적 관점과 경험을 바탕으로 이루어지기 때문에, 이는 완전히 객관적인 사실이 아닐 수도 있다. 즉, 코치가 관찰하고 인식하는 모든 것은 자신의 내면에 있는 필터나 관점을 통해 해석된 것이다. 이러한 과정은 게슈탈트 심리학에서 '투사'라고 불리며, 우리가 세상을 바라보는 방식에 영향을 미친다. 코치가 영사기라고 한다면 영사기 내면에 있는 필름이 필터, 관점 혹은 프레임이다. 그리고 보이는 세상은 영상의 하나, 즉 실체가 아닐 수 있다는 가정이다.

NLP(Natural Language Processing)의 유명한 전제 중의 하나인 **"지도는 영토가 아니다"**와 같은 맥락이다. 우리가 알고 있는, 믿고 있는 것이 사실은 지도이고, 현실은 다를 수가 있다. 그래서 1%라도 다를 수 있다는 전제를 가지고 피드백하는 것이 필요하다.

따라서 코치가 제공하는 피드백은 고객의 실제 상황이나 문제 전부를 반영하는 것이 아니라, 코치 자신의 해석과 이해를 바탕으로 한 부분적인 시각일 뿐이다. 이러한 이유로 **코치는 피드백을 제공할 때 자신의 관점이 완전한 진리가 아닐 수 있다는 점을 염두에 두고 고객과의 대화에 임해야 한다.**

다음은 작전타임 STOP 코칭(김만수, 손용민 외 1인)의 4가지 영역별 효과적인 피드백 질문을 참고하였다.

(1) 내가 **보기에** (   ) 한 것처럼 보이는데 어떻게 생각하세요?

(2) 내가 **느끼기에** (   ) 한 것처럼 느껴지는데 어떻게 생각하세요?

(3) 내가 **알게 된 것은** (   )라고, 생각되는데 어떤지요?

(4) 내가 **알아차린 것은** (   )라고, 생각하는데 어떤지요?

위와 같이 코치가 코칭하면서 본 것, 느낀 것, 알게 된 것, 알아차린 것, 깨달은 것을 피드백해 주면 상대방이 받아들일 가능성이 커진다.

크리스천 코칭

제6장 교회 소그룹에서 코칭 적용하기

사랑하는 자들아 우리가 서로 사랑하자

사랑은 하나님께 속한 것이니

사랑하는 자마다 하나님께로 나서 하나님을 알고

사랑하지 아니하는 자는 하나님을 알지 못하나니

이는 하나님은 사랑이심이라

(요한일서 4:7~8)

1 ▶ 교회에서 셀리더는 왜 코치가 되어야 하는가?

결론부터 이야기한다면 예수님이 위대한 코치였기 때문에 당연히 교회에서나 삶에서 코치의 삶을 살아야 한다. 크리스천 코칭의 이해에서 언급하였듯이 교회 사역에서 코칭은 없어서는 안 될 필수적인 요소이다. 코칭을 바탕으로 교역자는 설교를 통해 하나님의 말씀을 대언하고 성도들은 아론과 훌의 역할을 감당하는 것이다. 가끔 필자가 크리스천 코칭을 훈련시킬 때 성경적 해석을 해달라는 성도 가 있다. 이것은 교역자가 할 일이다. 이럴 때는 교역자에게 상담받도록 권면하는 것이 바람직하다. 섣불리 셀리더가 해결하려고 할 때는 영적으로 큰 혼란에 빠질 염려가 있다. 그래서 역할 수행의 도를 넘으면 안 되는 것을 명심해야 한다.

(1) 요즘 1:1 양육을 하는 교회들이 늘고 있다. 그러나 양육하는 리더가 과연 얼마만큼의 훈련을 거쳐 상대방을 양육하는지를 확인해야 한다. 결국 1:1 양육도 평신도가 평신도를 훈련시키는 것인데 잘못하면 혼란과 시험 거리가 될 수 있다는 것을 명심해야 한다. 그래서 코칭을 접목한다는 것은 너무나도 탁월하다. **평신도 리더는 성경을 가리키고 해석하는 것이 아닌 질문을 통해 양육자와 피양육자 서로가 성찰하는 것이고, 하나님의 인도하심에 따라 대화를 통한 삶을 나눠야 하는 것이다.** 코칭은 자유로운 마차여행을 떠나는 삶이기 때문이다. 그 안에 사랑과 행복과 보람이 있다.

(2) 조금 더 구체적으로 이야기한다면 셀리더에게 요구되는 역할은 시대와 성도들의 변화에 따라 진화하고 있다. **전통적인 교사, 상담자, 영적 멘토 등의 역할을 넘어 셀리더는 현대 교회의 요구에 부응하는 새로운 방식으로 성도들을 인도해야 한다.** 교사 역할은 정보 전달에 치중하지만, 코치는 훨씬 깊은 차원에서 셀원의 전 인격적 성장을 도모한다. 코치는 셀원의 가치관 형성, 목표 설정 및 달성 과정에서 지속적으로 도와주므로써, 셀원 스스로 성장의 주체가 되도록 이끈다. 상담자로서 셀리더는 셀원의 과거 상처를 다루는데 중점을 두었으나, 코치로서는 과거에 머무르지 않고 셀원이 현재의 행동을 개선하고 미래 지향적인 목표를 성취할 수 있도록 지원한다.

(3) 셀리더는 셀원들과의 깊은 영적 관계를 통해 영적 변화와 성장을 이끌어왔다. **코치로서는 이 영적 멘토링을 넘어서서, 셀원의 전반적인 삶의 질을 향상시키는 라이프 코치로서의 역할을 수행**한다. 이는 가정생활, 건강, 경제, 인간관계 등 셀원의 일상에 영향을 미치는 다양한 영역에서 지원을 제공한다는 것을 의미한다.

셀리더는 셀원에게 끊임없는 신뢰와 긍정적인 시선을 제공하며, 그들이 자신의 잠재력을 발견하고 스스로 목표를 설정하며 성찰할 수 있는 환경을 조성한다. 이 과정에서 **셀원은 자기 주도적으로 성장하며, 셀리더는 이러한 성장을 격려하고**

지원하는 코치의 역할을 수행한다. 이러한 전환은 단순한 역할 변화를 넘어서, 교회와 성도들의 성장을 위한 중요한 전략이다. 셀리더가 코치로서의 역량을 발휘하면 **셀은 더욱 건강하고 활기찬 공동체가 되어, 교회 전체의 성장과 발전에 기여할 것이다.**

2 셀리더 코칭 훈련을 어떻게 할 것인가?

셀리더가 코칭 마인드를 가지고 셀원을 돌보고 셀 그룹을 운영하기 위해서는 **전문코치에게 체계적인 훈련을 받는 것이 필수적이므로 교회 내에 코칭교육을 할수 있는 부서를 만들어야 한다.** 이 훈련은 셀리더가 셀원의 성장을 도모하고, 건강한 셀그룹 문화를 조성하는 데 중추적인 역할을 하게 될 것이다. 코칭훈련은 신앙훈련이 아니라 대화기술을 배우는 것이므로 영적으로 거듭나고 지속적인 신앙훈련을 하고 있는 셀리더나 앞으로 셀리더의 소명이 주어지는 교인이 훈련의 대상이어야 한다.

1) 코칭 교육부서 신설 필요

교회에는 여러 가지 사역부서가 있다. 코칭 교육을 할수 있도록 코칭교육부서를 만들어서 전문코치로 하여금 셀리더들을 지속적으로 교육시키도록 하는 것이 중요하다. 셀리더가 교육을 받은 후 전문코치가 되어 셀코치를 지속적으로 양산하게 된다면 금상첨화다. 제언하건대, 평신도가 셀리더의 사역을 감당하기 위하여 코칭교육을 받아야 하는 것을 필수적 요소로 한다면 교회는 양적, 질적으로 성장 부흥하게 될 것이다.

2) 대화의 방법

셀그룹을 인도할 때의 대화는 셀리더와 셀원 간의 신뢰 구축과 상호 영적 성장, 삶의 나눔을 목표로 한다. 이를 위해 셀리더는 앞장에서 다뤘던 다음과 같은 기본적인 코칭역량을 강화하고 앞으로 배울 STIGMA 코칭 모델을 숙지하여 코칭대화를 한다.

(1) **경청의 기술**: 셀리더는 셀원의 이야기를 진심으로 듣고 이해함으로써, 셀원이 자신의 생각과 감정을 자유롭게 표현할 수 있는 환경을 조성한다.

(2) **강력한 질문**: 셀리더는 적절한 질문을 통해 셀원이 자기 성찰을 깊게 하고, 자신의 문제에 대해 스스로 해답을 찾을 수 있도록 돕는다.

(3) **피드백**: 셀리더는 셀원에게 건설적이고 유익한 피드백을 제공하여, 셀원이 자신의 행동과 태도를 개선하고 성장할 수 있도록 지원한다.

이러한 훈련 과정을 통해 셀리더는 셀원의 성장을 촉진하고, 각 셀원이 자신만의 잠재력을 최대한 발휘할 수 있는 환경을 조성한다. 결과적으로, 이는 셀 그룹의 전반적인 건강과 활기를 증진시키며, 교회의 성장과 발전에 기여하는 바탕이 된다.

3 ▷ 셀 모임에서 어떻게 경청하고 질문해야 할까?

세계에서 가장 큰 영향력을 지닌 인물 중 한 명으로 미국의 유명한 방송인 오프라 윈프리를 꼽는다. 윈프리는 사람들과 깊은 대화를 통해 성공의 정상에 올랐다. 그녀는 대화를 나누는 것이 자신의 가치를 개발해 온 자신만의 방법이라고 당당히 말한다. 윈프리가 이렇게 대화를 잘 나눌 수 있었던 것은 상대의 말을 경청하는 특별한 능력이 있었기 때문이다. 만약 그녀가 경청하지 않고 계속해서 질문만 던졌다면, 전 세계 140개국, 미국만 4,600만이 넘는 시청자를 사로잡는 토크쇼 진행자가 될 수 없었을 것이다. **셀리더가 질문의 지팡이만 마구 휘두른다면, 셀원들은 다시 애굽으로 돌아가려 할 것이다. 왜냐하면 현대인들은 다른 사람의 이야기를 듣는 것보다 자기 이야기를 하는 것을 더 좋아하기 때문이다.**(김학중 목사의 코칭으로 교회살리기에서)

처음 셀 모임을 인도하는 리더들은 질문이 어렵다고 생각한다. 그러나 조금만 더 인내하고 노력한다면, 셀원들은 결국 입을 열게 될 것이다. **그들이 입을 열었을 때, 우리는 그들의 말을 적극적으로 경청해야 한다.** 오프라 윈프리는 초청자의 이야기를 들을 때 허리를 구부려 그 사람 가까이 다가가 진지하게 경청하는 습관을 가지고 있다고 한다. 사람들은 자신의 이야기를 하는 것을 좋아하지만, 자신의 이야기를 상대방이 귀 기울여 듣는 모습을 더 보고 싶어 한다. 이때 말하는 사람은 질문한 사람을 더 신뢰하게 되고, 자신이 존중받고 있다는 느낌을 받게 된다.

　그러면 **셀리더는 셀 모임에서 어떻게 질문하고 경청해야 할까?** 질문기술은 제4장에서 기술하였듯이 고객의 의식을 확장시켜 고객의 의미 확장과 구체화, 통찰, 관점 전환과 재구성, 가능성 확대를 도울 수 있다. 세부내용은 제4장을 참고하면 된다. 경청기술은 이미 3장에서 언급하였듯이 경청의 핵심요소는 맥락적 이해, 반영, 공감, 고객의 표현 지원이다. 대화할 때는 행동적으로 눈 맞추기, 고객 끄덕이기, 동작 따라 하기, 어조 높낮이와 속도 맞추기, 추임새 등을 하면서 경청하는 것이다. 세부내용은 3장을 참조하면 되며 경청이 잘되어야 질문도 되고 피드백도 되는 것이므로 **다음은 경청기술 중 한 번 더 언급한 주요한 내용**이다.

1) 맥락적 경청이다.

　이것은 셀원이 말하는 내용, 말하지 않는 내용까지 그 이면에 감추어진 메시지를 영적으로 듣는 것을 말한다. 셀리더는 셀원이 하는 말의 이면을 들을 수 있는 귀가 열려야 한다. 그래야만 더 깊이 셀원의 상황을 이해할 수 있다. 그러나 맥락적 경청은 자칫 셀원의 이야기를 판단하게 되고, 선입견을 갖도록 하므로 쉽게 사용할 수 없다. 그리고 셀원과의 신뢰관계가 형성되지 않은 상태에서는 잘못 사용하면 셀원의 마음을 더욱 닫게 만드는 요인이 될 수도 있다. 적당히 감추어서 이야기하려는 셀원의 마음을 헤아려 때로는 이면을 보았지만 모른 척하고 기다려 주는 것이 더 바람직할 수도 있다.

2) 끝말 따라 반복해서 재진술하기이다.

끝말 따라 재진술하기는 두 가지 효과가 있다. 첫째는 상대방의 이야기를 집중해서 잘 들을 수 있게 하고, 둘째는 상대가 이야기하는 것에 장단을 맞추어 이야기하는 사람이 더 많은 것을 이야기할 수 있게 이끈다. 이 기술을 사용하면 셀원들은 셀리더가 자신의 이야기를 깊이 경청하고 있다고 느끼게 되고, 더 많은 신뢰감을 갖게 된다.

> ● 셀원: 저는 요즘 하나님 말씀에 은혜가 넘쳐요.
>
> ● 셀리더: 은혜가 넘치는군요. 구체적으로 어떤 은혜인가요?
>
> ● 셀원: 말씀이 달고요~ 내 마음에 두려움이 없어져요.
>
> ● 셀리더: 아~ 두려움이 없어지는군요.

3) 핵심 단어를 재진술하기

이 기술은 끝말 따라 하기와 동일한 효과가 있다. 거기에 더하여, 핵심 단어 따라 하기는 상대방의 이야기에 중요한 핵심을 따라 함으로써 그의 이야기 핵심 키워드를 오랫동안 기억하게 만드는 장점이 있다. 상대방의 핵심 단어를 가지고 질문하게 되면 셀원은 자기 이야기의 핵심을 정확하게 파악하고 있는 셀리더를 깊이 신뢰하게 된다.

> ● 셀원: 저는 요즘 하나님 말씀에 은혜가 넘쳐요.
>
> ● 셀리더: 은혜가 ..
>
> ● 셀원: 네~ 교회 다니는 것이 너무 행복해요.
>
> ● 셀리더: 와~ 행복하군요~

4) 핵심 내용 요약 정리하기

셀리더가 셀원이 장황하고 긴 이야기를 다시 한번 정리해서 제대로 이해하고 있는지를 셀원에게 확인할 수 있다. 또한 셀원은 자신의 긴 이야기를 정확하고 일목요연하게 정리하는 셀리더를 보며 신뢰감을 갖게 된다. 그리고 많은 내용의 핵심을 정리함으로써 셀리더 역시 그 이야기를 정확히 기억할 수 있도록 도와준다. 코치가 재진술할 때, 이는 고객이 거의 의식하지 못할 정도로 자연스럽게 이루어져야 한다. 재진술이 고객의 말을 지나치게 많이 포함하거나 과장된 단어를 사용하는 것은 바람직하지 않다. 또한 셀리더는 요약해서 확인할 때는 셀원에게 맞는지를 반드시 물어봐야 한다.

5) 있는 그대로 받아들이고 공감하기

셀리더의 가장 중요한 자세는 셀원이 하는 말에 공감해 주어야 하고, 어떠한 가치 판단도 하지 않고 받아들이는 것이다. 판단하는 순간 진정한 경청은 사라진다. 듣는 사람이 판단하기 시작하면서 답을 제시하려 하고, 옳고 그름을 가려내려고 하며, 그 사람의 특별한 상황을 공감해 주지 못하고 일반화시킬 위험이 있다. 셀리더는 대화하면서 다음과 같은 생각과 말을 삼가야 한다.

셀원: 나는 남편을 보면 마음이 힘들고 두려워서 함께 살고 싶지 않아요.

(잘못된 답변)
셀리더: 그렇게 말하면 죄예요. 영적으로 회개해야 할 것 같아요.
셀리더: 집사님! 그런 생각을 가지면 하나님이 뭐라고 그러시겠어요.
　　　　하나님께 기도하면 문제가 다 해결될 거예요. 기도하세요.

(잘된 답변)
셀리더: 요즘 남편 때문에 힘드시군요? 요새 무슨 일이 있었는지 이야기해
　　　　주실 수 있겠어요?

---

1) 강단에서 선포된 설교가 강단에서 내려왔을 때의 소통

설교는 선포의 형태로, 일방적인 의사소통 구조를 가진다. 현대인들에게는 분명하고 명확한 답을 제시하는 설교가 필요하다. 하나님의 말씀은 현대인들에게 명확한 목표와 해결 방법을 제시하며, 가치관의 혼란을 극복하고 안정감을 제공한다. 그러나 현대인들은 상호 커뮤니케이션에 익숙하고, 자신의 생각과 감정을 솔직하게 표현하는 데 익숙하다. 따라서 설교는 강단에서 내려와 새로운 옷으로 갈아입고, 성도들과 의사소통을 해야 한다.

예수님이 이 땅에 오셔서 인간들과 수평적 소통을 위하여 성도들에게 말을 걸었다. 말씀이 이 땅에 소통으로 존재한 것이다, 그러므로 선포된 말씀은 강단에서 내려와 소통하고 성도들은 그 질문에 스스로 대답할 수 있어야 하며, 새로운 답을 찾을 수 있도록 지혜와 깊은 통찰력을 제공해야 한다.

2) 주일 설교의 연속성

담임 목사님의 설교는 일회성 메시지가 되어서는 안 된다. 주일 설교는 한 주간 성도들의 삶에 영향력을 행사하고, 모든 생각과 행동의 근거 자료가 되어야 한다. 셀리더는 셀 모임을 통해 말씀을 다시 한번 떠올리고 은혜를 나눌 수 있도록 인도해야 한다. 말씀 안에서 셀원들의 상처가 치유되고, 문제가 해결되며, 셀원 스스로 자기 맹점을 보고, 새로운 인생의 목표를 찾도록 이끌어야 한다. 그러므로 **주일설교는 셀모임의 나눔의 주제가 되어야 한다.**

3) 설교 메시지를 질문 만들기

질문은 강력한 힘을 가진다. 강단에서 나온 진리의 말씀이 질문이라는 새 옷을 갈아입을 때, 성도들은 훨씬 더 많은 진리와 깨달음을 얻을 수 있다. 예수님께서 베드로에게 "너는 **나를 누구라 하느냐**"(마16:15)라고 한 질문은 그의 인생을 완전히 바꿔놓았다. "**주는 그리스도요 살아있는 하나님의 아들이시니이다**"(마16:16)라고 한 그의 고백은 예수 그리스도를 정확히 소개하는 완벽한 모범 답안이 되었다. 그 질문은 인류 역사상 가장 위대한 질문이 되었다.

질문은 강단에서 나온 진리의 말씀을 성도들에게 더 가깝게 다가가게 하고, 새로운 답을 찾을 수 있도록 도우므로 말씀을 질문으로 만들어 보는 것이 중요하다. 우리가 매일 묵상하는 큐티가 그런 맥락이다.

4) 만들어진 질문의 중요성

설교에 관한 질문은 단순히 설교 내용이나 본문 내용만을 묻는 것으로 제한되어서는 안 된다. **잘 만들어진 질문은 설교를 더 깊이 이해할 수 있게 하며**, 이전에 몰랐던 새로운 깨달음으로 인도하고, 살면서 경험하는 문제에 대해 새로운 시각을 열어주며, 구체적으로 그 말씀을 삶에 적용하여 삶의 목표를 세울 수 있도록 인도한다.

5 | 셀 모임 나눔 방법

1) 라포(Rapport : 신뢰쌓기)

라포는 셀 모임의 첫 시간에 따뜻한 분위기를 조성하고, 서로 간의 어색함을 해소하기 위한 과정이다. 이 과정의 목적은 셀원들이 긴장을 풀고, 타인과 편안한 마음을 가질 수 있게 하는 데 있다. 이 시간에는 아이스브레이크로 가벼운 주제의 질문, 게임, 유머 등을 통해 서로를 알아가고 이해하는 중요한 수단을 제공한다.

서로의 생각, 재치 있는 대답, 다양한 관점들을 경험하면서, 셀원들은 서로를 더 많이 알게 되고, 경직된 분위기는 자연스럽게 깨진다.

라포에서 제시되는 질문들은 긍정적인 관점에서 현실을 바라보도록 유도한다. 예를 들어, 명절을 힘들게 지내고 온 성도들에게 힘들었던 순간을 떠올리게 하는 질문보다는, 그 안에서 감사할 조건들과 기뻐한 경험을 이야기하게 함으로써 긍정적인 생각에 머물도록 돕는다. 그러나 라포에서 너무 많은 것을 기대하거나 너무 많은 시간을 사용해서는 안 된다. 냉랭하고 어색한 분위기를 깨는 것으로 충분하다.

2) 성경 말씀 묵상

성경 본문을 깊이 이해하고 묵상할 수 있도록 돕는 준비된 과정이다. 나눔에 집중하는 과정에서 성경 본문이 전하는 메시지를 간과하는 경우가 많다. 말씀에 근거하지 않은 나눔 시간은 말씀의 의도와 다른 왜곡된 결론을 만들어 낼 위험이 있다. 따라서 셀리더는 본문에 대한 충분한 이해와 묵상이 필수적이다. 셀리더는 본문을 중심으로 한 주간 동안 묵상하고 연구해야 한다.

그러나 이 과정은 성경 공부를 진행하는 것이 아니며, 주입식으로 성경을 가르치는 것은 피해야 한다. 셀원이 본문에 관한 질문을 하기 전에는 본문 내용을 자세히 설명하는 것도 자제해야 한다. 독일의 신학자 **폴 틸리히(1986~1965)는 기독교 교육이 묻지도 않은 질문에 대한 해답을 강요하는 데 문제가 있다고 지적한다.** 기독교 교육자는 배우는 자들의 마음을 이해하고, 그들의 가슴속에 솟아오르는 실존적인 문제부터 찾아내는 일을 해야 한다고 말한다.

셀리더는 성경 공부를 가르치는 교사가 아니라, 셀원들의 삶 속에서 부딪히는 구체적인 문제들을 스스로 해결할 수 있도록 안내하는 라이프 코치가 되어야 한다. 이러한 접근은 셀원들이 성경 본문을 자신의 삶에 적용하고, 실제 문제를 해결하는 데 도움을 줄 수 있다.

3) 나눔

(1) 준비

셀리더는 말씀 나눔 시간을 위해 본문을 충분히 읽고 묵상하며, 설교를 두 번 이상 듣는다. 본문의 내용과 설교 말씀을 3분에서 5분 정도 요약해서 들려줄 수 있도록 준비한다. 셀리더는 나눔지에서 제시된 질문들을 숙지하고, 물 흐르듯 자연스럽게 인도할 수 있도록 준비한다.

(2) 진행 방법

셀리더는 쉽고 명확하며, 질문을 받는 사람이 편안하게 이어갈 수 있는 열린 질문을 준비한다. 한 사람이 이야기할 때는 모두가 경청하고 진심으로 공감하는 분위기를 만든다. 셀리더는 투명한 나눔의 촉진자로서, 한 사람의 이야기에 깊이 경청하면서도 전체를 볼 수 있는 눈을 가지고 있어야 한다.

① 셀리더는 지난 모임 때 약속하고 결단한 것들이 한 주간 생활 속에서 실천되었는지 확인한다.
② 그리고 약 3~5분 정도 지난주 말씀을 요약하여서 들려준다.
③ 나누었던 내용을 간단하고 명료하게 정리한다. 정리는 모임을 진행하는 데 중요한 연결선 역할을 한다. 셀리더가 셀원들의 이야기를 잘 정리해 주면, 셀원들은 자신의 이야기를 세심하게 경청해 준 리더를 더욱 신뢰하게 된다.

셀리더가 진행할 때 주의할 사항은

① 모든 대화를 독점하지 않으며, 질문이 있을 때 가능한 한 대답하지 않고, 성령님이 다른 셀원을 통해 말하도록 한다.
② 모든 셀원이 참여할 수 있도록 기회를 골고루 제공한다.
③ 셀원들이 자신의 아픔이나 상처를 오픈할 때 적극적으로 경청해 주어야

하며, 너무 지나치게 자신을 노출시키는 사람은 나중에 수치감을 느끼고 셀모임을 멀리할 수 있다. 이런 문제가 발생할 수 있다고 판단되면, 셀리더나 다른 셀원들은 누군가가 마음을 열고 말하는 것을 도덕적, 신앙적으로 판단하거나 정지하지 않는다. 만일 셀원들이 한 사람의 이야기를 놓고 판단하거나 집중적으로 대안을 제시하라는 분위기로 바뀐다면, 신속하게 한 사람에게 집중된 분위기를 전환해 주고, 가치 판단은 스스로 맡기고 기다려 주는 자세를 취해야 한다.

4) 셀 나눔의 마무리

STIGMA 코칭 모델에서 보면 맨 마지막 "A(Action & Accountability)"단계인 행동실천과 책무가 너무나 중요하다. 아무리 **셀원들의 나눔에 은혜받아도 은혜받은 것을 어떻게 행동으로 실행하느냐가 중요한 것이다.**

성경 말씀과 목사님의 설교를 통한 깨달음은 끝이 아니라 시작이다. 현실에서 고민과 과거의 상처가 솔직하고 진실하게 나누어지더라도, 셀 모임의 진정한 목표는 말씀과 설교가 삶에 구체적으로 적용되어 분명한 삶의 목표가 세워지는 것이다. 그러나 삶의 목표는 제삼자가 아닌 셀원들이 스스로 세워야 한다. 셀리더나 셀 모임 나눔지는 삶의 목표를 제시하거나 지시하지 않는다. 셀리더는 셀원들이 스스로 목표를 세울 수 있도록 질문하고 지원하는 환경을 만드는 역할을 한다.

셀리더는 셀원들의 코치가 되어 다양한 질문을 통해 셀원들이 스스로 성장하도록 동기를 부여하고, 새로운 시각을 열어주며, 구체적인 삶의 목표를 세우고 자발적으로 실천할 수 있도록 돕는다. 탁월한 코치는 다양한 경험과 시행착오, 훈련을 통해 서서히 만들어진다.

코치로서 성장하기 위해서는 셀원들의 피드백과 셀리더 스스로의 자기 평가, 즉 Self Coaching이 필수적이다. 셀리더는 셀 모임을 마친 후 반드시 자기 평가 작업을 하며, 이 평가는 객관적이고 개선할 수 있는 방법을 찾는 데 중요하다.

  실원들의 피드백을 진지하게 받아들이고 개선하려고 노력할 때, 더 좋은 리더로 성장할 수 있다. 셀리더는 적절한 시간에 셀원들로부터 구체적인 피드백을 받아야 하며, 셀 모임 나눔지에는 셀원들의 반응을 묻는 피드백 질문을 반드시 제시한다. 피드백 질문은 긍정적인 형식으로 만들어져야 하며, 셀원들이 그 시간에서 가장 유익했던 점과 은혜받은 점을 생각할 수 있도록 해야 한다.

  다음은 **마무리 단계에서 셀리더가 할 수 있는 질문**이다.

• 오늘 셀 모임을 통해 배우거나 발견한 것이 있다면 무엇입니까?
• 오늘 나눔 가운데 가장 은혜받았던 나눔은 무엇입니까?
• 오늘 은혜받은 나눔을 바탕으로 한 주간 실천해야 할 것은 무엇인가요?
• 오늘 셀 모임에서 개선되어야 할 것이 있다면 무엇인지요? 문자로 주시면 좀 더 은혜로운 모임 진행이 되도록 최선을 다하겠습니다.

※ 참고: 셀 나눔지 사례(출처: 안산 꿈의교회에서 발췌)

셀모임 나눔지

UP 하나님과 말씀을 향해 / 10분

찬 송 가: 91장. 슬픈 마음 있는 사람
복음성가: 아브라함의 노래 ‖ 찬양 후 맡은 이의 기도로 시작

환 영 / 10분

지난 한 주간 매일성경 QT(신명기 10~14장), 새벽 & 주중예배를 통해 받은 은혜를 함께 나누어 봅시다. 또는 지난 한 주간 감사의 제목이나 말씀을 적용하면서 받은 축복을 나누어 봅시다.

1월 28일 주일 설교	확신이 있으면, 어려움도 이긴다	마가복음 (7장 28~30절)

서 론	승리하는 인생을 위해, 우리는 어떤 확신을 가져야 할까요? 그리고 그 확신을 갖고 있다면, 우리는 어떻게 행동해야 할까요?

구원자 예수님 을 확신 하라	예수님이 두로 지방에 있었을 때, 귀신들린 딸을 둔 한 이방 여인이 딸을 고쳐달라고 예수님께 나아왔습니다. - 중략- "주여 옳소이다마는, 상아래 개들도 아이들이 먹던 부스러기를 먹나이다"(막 7:28) 이런 여인의 믿음을 보시고 예수님은 그녀의 딸의 치유를 선언하셨습니다. - 중략- 그녀에게는 확신이 있었기 때문이었습니다. 왜냐하면 주님은 우리를 향한 구원의 계획을 이미 준비하셨기 때문입니다. - 마지막 생략

IN 서로를 향해 / 30분

나눔 1) 최근에 당신이 당면했던 어려움을 이기는 데 도움을 주었던 확신이 있었다면 나누어 봅시다.

나눔 2) 고난 속에서 당신이 포기하지 않고 예수님께 매달렸던 구체적인 방법들은 무엇입니까?

나눔 3) 믿음과 걱정은 함께 가지 못합니다. 당신이 온전한 믿음으로 걷기 위해 돌보시는 하나님을 확신하며 그분께 완전히 맡겨야 할 것은 무엇입니까?

기 도:

① 내 안에 계신 예수님과 그분의 약속을 믿고 확신하며, 끝까지 구하고 찾고 두드리게 하소서

② 서로의 기도 제목과 VIP들을 위해 기도하겠습니다.

OUT 세상을 향해 / 10분

중 보 기 도	1. 가정을 위해:주님을 함께 끝까지 붙드는 가정 2. 교회를 위해, 담임목사님과 교역자 교구장, 셀리더들의 사역을 위하여 3. 나라와 민족을 위해
사 역 안 내	1. 2024 사순절 묵상집 '다시, 봄' 출간 2. 큐티 사랑방 개강 : 2.2부터

| 마무리 나눔 | 1. 오늘 셀 모임을 통해 배우거나 발견한 것이 있다면 무엇입니까?
2. 오늘 나눔 가운데 가장 은혜받았던 나눔은 무엇입니까?
3. 오늘 은혜받은 나눔을 바탕으로 한 주간 실천해야 할 것은 무엇 인가요? |

크리스천 코칭

제7장 스티그마(STIGMA) 코칭

'내가 내 몸에 예수의 흔적을 지니고 있노라.' (갈6:17)

그런즉 누구든지 그리스도 안에 있으면 새로운 피조물이라
이전 것은 지나갔으니 보라 새것이 되었도다
(고린도후서 5:17)

1 ▷ 스티그마(STIGMA)의 신앙적 의미

1) 헬라어 원문에는 "흔적"을 스티그마(STIGMA)로 표현하는데 노예, 죄수, 범죄자, 반란자 등에게 '낙인'(烙印)'을 나타내는 말이다. 이 낙인은 그들의 신체에 찍히게 되며, 치욕, 오명과 같은 부정적인 의미가 있다. 하지만 기독교 관점에서는 '스티그마'가 다르게 해석되었다. 로마 카톨릭에서는 '스티그마'의 복수 형태인 '스티그마타(STIGMATA)'를 '성흔(聖痕)'을 의미하는 용어로 사용한다. 성경의 갈라디아서 6장 17절에서는 사도바울이 자신의 몸에 예수의 '흔적'을 가지고 있다고 증언하며 치욕, 오명의 수치스러운 '스티그마'라는 단어의 의미가 그리스도의 희생을 통해 위대한 "흔적"으로 남게 되었다.

2) 그렇다면 '스티그마'를 통해 사도바울이 말하고자 하는 바의 의미를 살펴보자. 스티그마의 의미는 바울 자신이 예수 그리스도의 종으로 고백하고(롬1:1) 있다는 사실에서 나타난다. 자신의 몸에 어떤 표식을 새기고 있었음을 뜻하는 것이 아니라, 이방인 교회를 위해 선교를 하던 과정에서 얻게 된 고난의 상처들을 가리킨다고 볼 수 있으며(골 1:24), 나아가서 모든 죄를 사해 주신 하나님의 새 백성임을 나타내는 것이다(골 2:11-13).

따라서, **스티그마(STIGMA) 의미를 함축**한다면 다음과 같다.

(1) 나의 죄를 사해 주신 하나님의 새 백성이다.
(2) 하나님의 말씀을 지키고 실천할 때 감당하게 되는 고난의 상처이다.
(3) 예수님이 십자가에 달리실 때 생긴 고난의 흔적으로 십자가 희생을 통해 위대한 인류의 구원이 이루어졌다.

3) **스티그마(STIGMA) 코칭에서 중요함의 시작은 Step back(한발짝 뒤로 물러서기) 하는 것이다.** 고난의 상처들을 통해 새로운 피조물로 일어서려면 우리가 처한 현재 상황에서 잠깐 뒤로 물러서서 기도를 통한 회개이어야 하며, 이때 우리의 삶에 자유와 확신을 갖게 되며 생각의 공간이 열리고 넓어지게 된다.

4) **우리는 예수님의 가르침 안에서 보면,** 우리가 실체의 절반도 되지 않는 형상이 "이 세상" 이며, 결국, 완전한 형상인 하늘나라, 영원한 생명을 소망으로 살아가는것이다, 우리는 이러한 소망을 이루는 데 중요한 것은 **욕심이 없는 무 집착과 연결되고 무 집착에 의한 삶의 새로운 차원, 즉, 내적공간이 열리게 되는 것**이다. 집착하지 않고, 판단하지 않고, 내면의 저항을 멈춤으로써 그 차원에 접근할 수 있다.

코치들은 삶 속에서, 코칭 중에도 고객뿐만 아니라 코치 자신도 내적공간이 열

리는 것을 경험해야 한다. 이 공간은 내면 깊은 곳에 있는 하나의 고요, 알아차리기 힘든 평화로 다가온다. 이 공간은 평화의 공간이고 하나님의 평화이다. 이 내적공간 안에는 진정한 행복, 순수한 존재로서의 자신의 의식이 발견된다. 결국, 코칭을 통해서 내적공간 안에서 나를 발견하게 된다.

5) **유대인 심리학자 빅터 프랭클**은 2차 세계대전 당시 아우슈비츠 수용소에서 생존한 몇 안 되는 사람 중 한 명이었다. 그는 수용소에서의 경험을 통해 사람들이 극한의 상황에서 어떻게 반응하는지 관찰하였다. 그는 수용소에서 살아남은 사람들이 두려움과 공포에도 불구하고 자신의 의식을 통제하여 흔들리지 않는 태도를 유지한 사람들임을 발견했다. 프랭클은 이를 바탕으로 **인간의 마지막 자유 의지가 자극과 반응 사이의 공간에서 결정된다고 깨달았다.** 이 공간에서 인간은 반응을 선택할 수 있으며, 이러한 선택은 인간을 자유롭게 하고 성장시킨다고 주장했다.

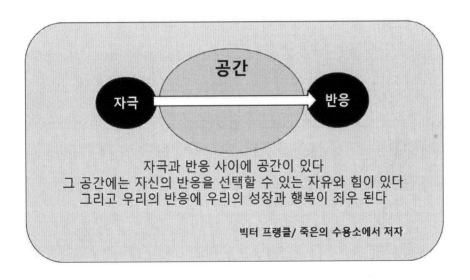

자극과 반응 사이에 공간이 있다
그 공간에는 자신의 반응을 선택할 수 있는 자유와 힘이 있다
그리고 우리의 반응에 우리의 성장과 행복이 좌우 된다

빅터 프랭클/ 죽은의 수용소에서 저자

프랭클의 이러한 통찰은 그의 유명한 '의미치료' 이론의 기반이 되었다. 의미치료는 사람이 어떠한 상황이나 환경에서도 '삶의 의미'를 잃지 않으면 살아갈 수 있다는 것을 강조한다. 삶의 의미는 희망과 소망이 되어 어려운 상황을 극복하고 전진하게 만든다. 즉, '삶의 의미'는 인간의 존엄성이 존재하는 의식의 공간에서

발견된다. 한 발 뒤로 물러서면 이러한 의식의 공간에서 무한한 가능성이 열리는 것이다.

결국, 인간의 존엄성은 공간(Space)에 있고 그 공간은 하나님의 공간이며 사랑이다. 사랑이 우리를 살아있게 하고 치유하며 성장하게 한다.(크리스천과 함께하는 작전타임 stop코칭, 김만수, 손용민외 1인. 2021)

2 > 스티그마(STIGMA) 코칭의 필요성

스티그마 코칭은 신앙적 성장과 자기 발견에 중점을 둔다. 스티그마 코칭은 하나님 앞에서의 겸손과 자기반성의 도구로 사용될 수 있다. 이는 크리스천이 자신의 죄성을 인정하고, 신앙적으로 성장하기 위한 자기 점검의 기회로 활용되며, 타인과의 관계 구축과 함께 신앙을 성장시키는 도구로 활용된다.

스티그마에 직면함으로써, 크리스천은 자신의 한계와 약점을 하나님 앞에 내려놓고, 그분의 값없는 은혜에 감사하는 계기를 갖게 된다. 이러한 과정은 신앙의 성숙과 인격적 성장을 촉진한다. 스티그마는 자기 자신의 신앙적 상태를 객관적으로 바라보고, 영적 성장을 위한 동기를 제공한다.

크리스천 코칭에서는 스티그마를 통해 하나님과의 관계를 재평가하고, 신앙적 도전을 극복하는 데 중요한 역할을 한다. 스티그마에 대한 성찰은 개인의 영적 성장을 도와주며, 다른 이들과의 관계에서 더욱 사랑과 공감을 실천하도록 이끈다.

결론적으로, 크리스천 코칭에서 스티그마는 자기반성의 기회이자, 신앙적 성장과 하나님과의 관계 강화에 기여하는 중요한 요소이다. 스티그마를 하나님 앞에서의 겸손과 자기반성의 도구로 활용하며, 영적 성숙을 추구하는 것은 크리스천 코칭의 중요한 목표 중 하나이다. 그리고 신앙의 연단을 통해 예수님의 흔적(STIGMA)과 같은 여정 속에 무르익고 알아차림으로 나의 내면 내적공간의 평화를 찾아가는 것이다. 다음은 필자인 내가 걸어왔던 신앙의 연단을 통해 내면 내적공간의 평화를 찾은 신앙 간증이다.

1) 연단 속에서 발견한 신앙의 빛 : "하나님의 인도하심과 평화를 향한 여정"

과거에 내가 다니던 OO 교회가 개척을 벗어나 중견교회로 발돋움할 때 교회에 큰 어려움이 찾아왔다. 담임목사님과 중진 안수집사들과의 갈등 문제로 교회가 반 토막이 났다. 때마침 OO 대형교회의 지성전이 그 지역에 들어서자, 갈등 중인 안수집사들이 교인의 반을 데리고 그곳으로 수평 이동했다. 그때 안수집사로 있었던 나는 교회를 지키기로 마음먹고 떠나지 않았고, 하나님은 39세의 어린 나이의 나를 장로로 택함을 입히셨다.

재정과 찬양 인도, 성가대 지휘, 교구까지 맡아 사역을 강행하였다. 장로가 되어 재정 상태를 보니 일본선교를 위해 쏟아부었던 헌금 때문에 교회가 자산 공사로 넘어가 있었다. 교회를 다시 찾아오는 데 3년이 걸렸다. 그동안 많은 연단이 있었으나 성령께서 믿음을 잃지 않게 하셨다. 그 후 교회를 위해 최선을 다하시던 사모님의 암 투병으로 인한 죽음으로 교인들은 충격에 빠졌고 교회의 어려움이 지속되었다. 결국 교회는 OO 대형교회로 인수되고 목사님은 외국으로 떠나고 교인들은 뿔뿔이 흩어졌다.

우리 가족은 그 지역을 떠나려고 했지만, 친분이 있었던 목사님이 그 지역에 개척하였고, 나에게 한 달만 도와 달라고 요청이 왔다. 그 수락이 5년의 세월을 흐르게 했다. 나는 이전 교회에서의 사역의 경험을 바탕으로 재정, 찬양인도, 성가대 지휘, 교회관리 등의 사명을 감당하였다. 목사님의 간절한 기도와 헌신의 사역으로 교인이 1명이었던 교회가 개척 3년 만에 미자립을 벗어났고, 4년째에 교인은 장년 79명으로 늘어나 있었으며 성가대도 15명이 되어 "할렐루야" 대곡을 하나님께 올려드렸다. 내가 인도하던 찬양 인도팀도 발전되어 부흥 집회도 인도하게 되었다. 이곳의 사역이 저에게 준 하나님의 사명으로 생각했다.

그러나 하나님은 또 한 번 나에게 큰 시련을 주셨다. 교인 심방을 같이 갔는데 목사님이 앉은 방석에서 피가 흘렀다. 목사님이 대장암 3기로 판명되었다. 나의 머릿속에 4년간의 교회사역이 주마등처럼 흘러 지나갔다. 이후 1년 동안 목사님은 치료에 전념하였고, 같이 동역하던 집사님과 새벽기도 차량 봉사, 새벽기도 말씀 인도, 재정관리, 교인 관리 등을 동역하며 하나님께 매달렸다.

결국, 목사님은 더는 목회를 못 하게 되었다. 그 후 교회는 대형교회로 인수되었고 우리 가족은 또 교회를 떠나야만 하는 쓰라린 연단을 받아야만 했다. 이후 목사님은 대장암 치료에 전념하셨고, 어느 정도 낮자 이전 교회의 부목사로 사역하다가 발병 10년이 지난 후 재발하여 예수님의 품으로 소천하셨다. 나는 그 당시 교회를 지키지 못했다는 많은 자책감으로 인하여 모든 것을 포기하려고 했었다. 그러나 현재의 oo 교회로 옮겨 감리교단의 장로로 3년을 교육받고 장로 안수를 새롭게 받았다. 결국, 장로로서 부끄럽게 두 번의 안수를 받은 것이다. 이것은 나의 삶에 새로운 도약이 되었고 현재 약 18년간을 기독교 대한 감리회의 부족한 장로로 많은 사역을 감당하고 있다.

나는 39세에 장로로 택함 받은 후 두 번의 개척교회를 섬기면서 약 8년의 세월 동안 수많은 연단이 있었다. 이때 나를 이기게 한 힘은 기도와 말씀이었고 행동으로 옮기는 좋은 습관이었다. 하나님은 한 번의 기도가 모든 것을 해결하는 것을 원치 않는다. 하나님은 기도와 말씀을 기반으로 행동으로 옮기는 지속적인 좋은 습관을 통해 일하신다는 것을 믿는다. 결국, 우리의 삶은 많은 신앙의 연단을 통해 예수님의 흔적(STIGMA)과 같은 여정 속에 무르익고 알아차림으로 나의 내면 내적공간의 평화를 이뤄가는 것으로 생각한다.

2) "신앙의 빛으로 인도된 삶: 하나님과의 만남에서 발견한 내적 승리와 자유"

나는 회사에서 술과 관련된 수많은 에피소드가 있었다. 청년 시절은 술을 많이 마셨다. 하지만 독실한 크리스천이었던 아내를 만나면서 고질적으로 먹는 습관적 술을 끊게 되었고 그 후 술을 많이 먹는 회사의 보직 특성상 술로 인해 많은 고난이 있었다. 그러나 성령님께서 힘과 지혜를 주어 이겨나가게 했다. 많은 크리스천은 술자리를 처음부터 가지 않는 것을 생각한다. 그러나 사회생활은 그것을 거부하기가 쉽지 않다. 그래서 그 속에서 같이 움직이며 Pacing 하며 전도가 일어나야 한다. 그러기 위해서는 어떠한 상황이 오더라도 부단한 기도와 말씀을 통하여 크리스천의 흔들리지 않는 정체성을 확보해야 한다.

나는 고질적인 습관을 완전히 바꾸고자 술자리에서 술을 먹지 않고도 살아남는 방법을 터득했다, 즉 성령님이 주시는 노하우가 있었다. 그것은 그 자리를 피하지 않고 그것은 인내와 헌신이라는 무기로 Step Back하면서 대안을 실천해야만 하는 것을 알아차렸다. 그 대안은 모든 사람이 쓰러지고 지쳐 도망가도 나는 끝까지 그곳을 사수하고 마무리하는 것이다. 그리고 술로 몸을 가누지 못하고 쓰러진 사람들을 잃어버린 짐 없이 모든 것을 챙겨서 집까지 깔끔하게 모셔다드리는 것이다. 그다음 날 윗분들로부터 그 헌신에 엄청난 칭찬을 받았다. 이유는 술만 먹으면 잃어버리는 물건들이 나 때문에 완벽하게 챙겨지기 때문이었다.

그래서 술도 못 먹는 내가 그 이유로 가끔 중요한 술자리에 불려 나갔다. 난 특유의 만담으로 술자리를 섭렵하기도 했다. 물론 나를 술을 먹이려고 끝까지 해하려고 하는 상사도 있었으나 마음을 Step Back 하며 담대히 맞서고 헤쳐 나갔다. 한번은 사장님이 현장 격려차 내려와 회식 자리에서 주는 술을 먹지 않았다. 이때도 찰나에 내 마음을 다스릴 수 있는 Step Back이 필요했다. 그 이후 나는 상관들에게 엄청난 고난을 받았으나 결국 그들은 나에게 두손 두발을 다 들었다. 이 일로 회사에서는 별명이 "할렐루야"가 되었다.

크리스천은 그 중심에 예수 그리스도를 두어야 한다. 그러면 어떤 고난과 사탄이 역사하여도 이겨나갈 수 있다. 결국, 업무는 기본이면서 술을 많이 먹고 잡기에 능한 자들이 진급이 잘되는 회사에서 나 같은 크리스천이 단위 기관장으로까지 올라가는 축복을 받았다. 지금 생각해 보면 성령님이 주시는 알아차림을 통하여 여러 어려움이 왔을 때 Step Back의 방법을 잘 사용해서 좋은 결과가 있었지 않았나 생각한다.

3) 좋은습관의 축복

삶을 살아가는 데 좋은 습관을 지니는 것은 큰 축복이다. 나는 30년간의 직장생활을 하면서 지방발령으로 약 20년 동안은 집과 떨어져 살거나 출장으로 살았다. 그러나 어김없이 일주일이 지난 후 금요일 저녁에는 지방에서 올라와 금요 철야 예배에 참석하고 주일을 지켰고 봉사하고 헌신했다. 이것은 하나님이 주신 거룩한 습관의 기본이라고 생각했다. 하나님은 기본 된 습관을 통해 나에게 엄청난 축복을 주셨다. 엄청난 축복은 마음의 자유이다. 물질이 풍족하지는 않지만 꾸지 않고 살고 있다. 내 아내도 세 자식도 예수님을 사랑하고 있다. 부족하나마 나는 교회 장로로서 토목 엔지니어 겸 프로 코치로 세상에 좋은 영향을 주려고 살고 있다. 모든 것을 하늘에 소망을 두는 생각의 습관, 행동의 좋은 습관이 바로 성령의 인도하심으로 깨어 있는 삶이다.

크리스천들은 새벽기도, 예배 출석, 봉사 등 하나님과의 만남을 위한 거룩한 습관을 지니고 있어야 한다. 이것을 통해 성령님이 주시는 알아차림으로 항상 깨어 있는 삶으로 살아갈 수 있는 것이다. 물론 크리스천이라고 해서 매일의 삶이 깨어 있는 것은 아니다. 세상 사람들과 같이 섞여 살아가면서 세상과 신앙인의 갈림길 속에서 방황할 때도 있다. 그러나 그 속에서 그리스도의 향기를 내야 하는 거룩한 책임도 동시에 갖고 있는 것이 현실이다. 이 어려운 현실 속에서 크리스천으로서의 거룩한 행동습관을 가지려면 어떻게 하던 하나님과의 지속적인 만남을 위해 몸부림쳐야 하고 도전해야 한다. 그래서 나는 지방 생활 수년을 크리스천으로서의 기본을 지키려고 애를 썼다. 이것은 예수그리스도의 흔적을 좇아가려는 거룩한 습관의 하나임을 고백한다.

철학자 아리스토텔레스도 수사학에서 에토스(ethos: 성격, 관습 등을 의미하는 고대 그리스어)라는 단어에 철학적 의미를 부여하였는데 " 좋은 행동을 하기란 쉽다, 그러나 습관을 만들기는 쉽지 않다. 결국, 탁월함은 행위가 아니라 습관이다"라는 것으로 습관의 중요성을 함축하였다.

3 스티그마(STIGMA) 코칭 모델

1) STIGMA 코칭 모델은 기도와 말씀을 생각하여 구성하였다. 성경의 하나님은 성부, 성자, 성령 세 위격이 하나의 실체로 존재하신다는 뜻인데, 헬라어로는 **"페리코레시스(Perichoresis)"**라고 하며, 삼위 하나님이 "내가 내 안에, 내가 네 안에" 있는 상태를 말한다. 스티그마 코칭은 "내가 내 안에, 내가 네 안에" 존재하시는 삼위 하나님께서 역사하셔서 **예수 그리스도의 십자가 구원의 복음을 코칭으로 증거하여 하나님의 나라를 땅끝까지 확장하는 증인된 삶을 살도록 변화하는 데 초점이 맞추어져** 있다.

2) **코치로서의 예수님**은 힘들고 어려운 사람, 병든 사람을 보면 **그 즉시 코칭해** 주시고 병도 고쳐주셨으므로, **이 코칭 모델은 예수님의 가르침대로 삶 속에서 고민이나 어떤 상황에 처해있는 사람을 보면 현장에서 즉시 코칭하는 것이다.**

3) **우리는 외부의 자극이 오면 많은 부분에서 습관적으로 혹은 자동적으로 행동한다.** 약 80%가 숨 쉬는 것, 밥 먹는 것, 걷는 것, 말하는 것 등이다. 이러한 무의식적인 행동들은 삶을 영위하는데 효과적이다. 그러나 의식적이건 무의식적인 잘못된 습관적인 행동은 나와 주변 사람들을 힘들게 만든다.

4) **그래서 코치들은 삶 속에서, 코칭 중에도 고객뿐만 아니라 코치 자신도 내적공간이 열리는 것을 경험해야 한다.** 이 공간은 내면 깊은 곳에 있는 하나의 고

요, 알아차리기 힘든 평화로 다가온다. **이 공간은 평화의 공간이고 하나님의 평화**이다. 이 내적공간 안에는 진정한 행복, 순수한 존재로서의 자신의 의식이 발견된다. **결국, 코칭을 통해서 내적공간 안에서 나를 발견하게 된다.**

 5) 자극과 반응 사이의 이 내적공간 안에는 잠깐멈춤과 성찰, 그리고 침묵이 있다. STIGMA 코칭 모델의 "S"는 Step Back으로 잠깐의 멈춤이며, "T"(주제합의), "I"(영감), "G"(성장)을 통해 성찰하며, "M"(묵상)으로 잠깐의 침묵으로 하나님께 나아가며 "A"(행동)한다. 이를 통해 변화와 성장을 이룰 수 있다. 아래 그림은 이를 바탕으로 만들어진 STIGMA 코칭 모델이다.

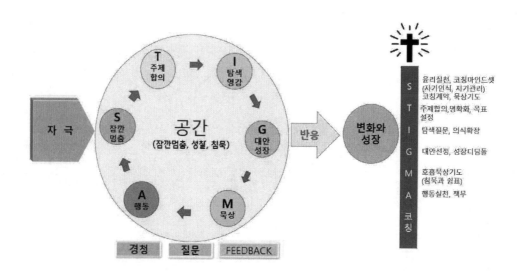

[STIGMA 코칭 모델] PILGRIM WAVE 손용민 코치

스티그마 코칭 프로세스는 STIGMA의 철자를 따서 각각의 의미를 부여한 것이다

- 첫 번째 "S"는 Step back이다. 이는 어떤 것에 몰입되어 있을 때 그것으로부터 잠깐 물러서서 온전히 하나님께 기도하는 것이다. 코치는 윤리실천과 코칭마인드셋(자기인식, 자기관리)을 구축하고 코칭할 때 유지되어야 하며 코칭계약서를 합의하고 본격적인 코칭에 임한다. 이때 묵상으로 기도하던지 자연을 거닐면서 오늘 코칭에서의 하나님이 주신 자신의 의도가 무엇인지를 정하도록 코치가 고객에게 질문하거나 Self Coaching 할 수 있다.

- 두 번째 "T"는 Talking point & Trust(말의 초점과 신뢰) 이다. 고객과의 라포를 형성하여 신뢰관계를 구축하고. 주제합의 후 주제를 명확화하고 초점을 잡아 코칭목표를 결정한다.

- 세 번째 "I"는 Inspiration(영감, 靈感) 이다. 앞에서 목표가 설정되면 고객의 주제와 목표에 대한 다양한 탐색질문으로 하나님이 주시는 영감이 떠올라 의식이 확장되도록 한다.

- 네 번째 "G" 는 Growth in mind(마음속의 성장) 이다. 고객이 스스로 마음속에 생각한 대안을 조직화하는 것, 즉 상황에 맞는 방법, 전략을 정하여 성장을 이루는 디딤돌을 놓는 것이다.

- 다섯 번째 "M"은 Meditation(묵상) 이다. 상황에 맞는 방법, 전략이 결정되었으면 코칭대화로 달려온 마음을 정돈하기 위해 짧게 호흡묵상기도하는 시간을 가진다. 결국, 코칭의 침묵과 쉼표의 의미를 가진다.

- 여섯 번째 "A"는 Action & Accountability(실행과 책무)이다 호흡묵상기도의 힘으로 고객이 원래 의도한 목표를 달성토록 구체적 실행방안을 수립하고 고객은 스스로의 책무를 가진다.

1) Step back 단계

수고하고 무거운 짐진 자들아 다 내게로 오라

내가 너희를 쉬게 하리라

(마태복음 11:28)

"S"는 Step back 단계이다. 코치가 고객과 코칭을 하려면 평상시에, 코칭 전에 Step back 단계를 가장 중요하게 생각하여야 한다. **Step back은 어떤 것에 몰입되어 있을 때 그것으로부터 잠깐 물러서서 온전히 하나님께 기도하는 것이며** 코칭을 본격적으로 시작하기 전에 코치뿐 만아니라 고객에게도 Step back을 상기시켜야 한다. 이를 통해 **고객을 위한 존중 및 사랑으로 고객이 가져온 Needs를 해결할 수 있도록 하나님께 기도하며 나아가야 하며 항상 윤리실천과 코칭마인드셋(자기인식, 자기관리)을 구축하고 코칭할 때 유지되어야 한다는 것이다.** 또한, **본격적인 코칭에 들어가기 전에 코칭계약서를 합의해야한다.** 이것은 코칭을 시작하기 전에 가장 중요한 기본사항이라고 말할 수 있다.

그리고 시간적, 공간적, 정서적 Step back을 통하여 코치는 자신을 돌아보고 고객에게는 Step back을 잘할 수 있는 도움을 주어야 한다. 이것이 잘 되었을 때 마음이 안정되고 스스로 생각해 볼 수 있는 여유가 생기면서 코치와 고객 모두가 역동이 일어나는 코칭이 되는 것이다. 그래서 먼저 충분하게 Step back이라는 것이 필요하다. 그래서 **코칭 전 계약합의와 윤리실천, 코칭마인드셋(자기인식, 자기관리), Step back 하는 방법으로 구분하여 정리하면 다음과 같다.**

(1) 코칭 전 계약합의

코칭 전 계약합의는 고객 또는 고객사(기업, 단체 등)와 계약을 하고, 코칭 동의 및 코칭 목표를 합의하는 것이다.

① 고객 또는 고객사와 협의를 거쳐 계약을 체결할 때 고객이 계약서를 제시하거나 코치가 계약서를 제시하는 방법 중에서 선택할 수 있다.

② 계약하면 계약자와 의사결정자, 고객 등 이해관계자와 사전에 회합하고, 코칭에 대한 공감대를 형성하는 것이 바람직하다. 코칭 과정에서 고객의 참여도를 높이고 코칭 성과를 높이기 위하여 코칭을 시작하기 전에 고객과 코칭 동의서를 작성하는 것이 무엇보다 중요하다. 통상, 개인코칭에서는 코칭계약 후, 코칭 서두에 코칭주제를 합의하고 당해 시간 내에 해결할 코칭목표를 설정하며, 기업은 코칭계약 때 주제를 사전에 합의하고 시행하는 경우가 많다.

(2) 코칭 전 Step Back

코칭 전, 코치가 항상 지키고 마음에 새겨야 할 기본적인 내용을 돌아보는 Step Back이다.

① 윤리실천

모듈 2에서 이미 다룬 것으로써 핵심내용은 다음과 같다

㉠ 코치는 기본윤리를 준수하며, 고객의 잠재력을 극대화하고 최상의 가치를 실현하는 데 기여한다. 이를 위해 코치는 부단한 자기 성찰과 평생 학습자의 자세를 견지하며, 전문 분야에서 모범적인 롤모델이 되어야 한다. 또한, 코칭 활동 시 국제적 윤리규정을 존중하며 임한다.

㉡ 코치는 코칭에 대한 윤리를 준수하여 고객을 이해하고 지지하는 태도를 보여야 하며, 과장이나 부당한 주장을 피한다. 또한, 고객에게 적합한 다른 접근법 (심리치료, 컨설팅 등)이 필요할 때 이를 제안하고 존중한다. 코칭 관련 연구 활동 시에는 전문적 근거와 과학적 기준에 따라 행동하며 개인 정보 보호에 주의한다.

ⓒ 직무에 대한 윤리로, 코치는 어떤 상황에서도 최선을 다해 고객을 대하며, 자신의 능력과 경험을 정확히 인식하여 적용한다. 코칭 과정에 영향을 미치는 개인적 문제가 발생할 경우 적절한 조치를 취하고 고객의 결정을 존중한다.

ⓐ 코치는 코칭 시작하기, 즉 최초의 세션 이전에 코칭의 본질, 비밀을 지킬 의무의 범위, 지급 조건 및 그 외의 코칭 계약 조건을 고객이 충분히 이해하도록 설명한 다음 계약을 체결하며, 코칭 중 어느 시점에서도 고객이 자유롭게 코칭을 종료할 권리가 있음을 알린다.

ⓜ 고객에 대한 윤리로, 코치는 고객 정보의 비밀을 지키며, 고객 동의 없이 개인 정보를 공개하거나 이용하지 않는다. 모든 코칭 기록을 정확하게 관리하고, 보존 기간이 지난 후 적절히 파기한다. 이해관계 충돌 시 고객에게 분명히 전달하고 해결 방안을 모색한다.

이렇게 코치는 고객과의 신뢰 관계를 바탕으로 전문적 윤리를 준수하고 실천하는 데 중점을 둔다.

② 코칭 마인드셋
  ㉠ 자기인식
    현재 상황에 대한 민감성을 유지하고 직관 및 성찰, 자기 평가를 통해 코치 자신의 존재감을 인식한다.

• 상황 민감성 유지: 코치는 지금 여기의 자신과 고객의 생각, 감정, 욕구에 집중하며 이들의 상호 연결성을 이해한다. 생각, 감정, 욕구가 발생하는 배경과 이유를 감각적으로 알아차리고, 자신의 내적 상태가 코칭에 미치는 영향을 주의 깊게 관찰한다. 코치는 자신의 방어기제에 관해 탐구하고, 고객에 대한 판단을 보류하면서 코칭에 임한다.

· **직관과 성찰:** 코치는 직관과 성찰을 통해 자신의 내적 상태가 코칭에 미치는 영향을 인식한다. 이를 통해 코치는 코칭 과정에 영향을 미치는 자신의 메타인지를 활용하고, 코칭 상황을 지켜본다.

· **자기 평가:** 코치는 자신의 특성, 강약점, 가정과 전제, 관점을 평가하고 수용한다. 이는 코칭 현장에 필요한 적합성 평가와 수용을 의미하며, 코치는 자신의 선입견을 주기적으로 점검하여 고객에게 영향을 미치는 요소를 관리한다.

· **존재감 인식:** 코치는 자신의 존재를 인식하고 신뢰한다. 코치로서의 존재감과 자기 인식, 자기 신뢰가 코칭 과정과 고객과의 관계에 중요한 역할을 한다. 코치는 자신의 존재 방식을 신뢰하고, 이를 바탕으로 고객에게 유연하고 최적화된 코칭을 제공한다.

ⓛ **자기관리**
신체적, 정신적, 정서적 안정 및 개방적, 긍정적, 중립적 태도를 유지하며 언행을 일치시킨다.

· **신체적, 정신적, 정서적 안정 유지:** 코치는 코칭 시작 전에 신체적, 정신적, 정서적 안정을 유지하며, 자신의 최적 상태를 점검하고 관리한다. 이를 통해 개인적인 문제에서 벗어나 코칭에 전념하며, 다양한 코칭 상황에서 침착하게 대처할 수 있다. 코치는 항상 정기적으로 멘토코칭을 받으며 성찰, 학습 및 성장 계획을 세우고 실천한다.

· **개방적, 긍정적, 중립적 태도 유지:** 코치는 솔직하고 개방적인 태도를 유지하며, 긍정적인 태도로 어려운 상황에도 낙관적이고 희망적인 미래에 집중한다. 또한 고객에 대한 판단을 유보하고 중립적인 태도로 코칭 대화에 집중한다.

· **언행일치 실천::** 코치는 말과 행동을 일치시키며, 메시지를 명료하고 구체적으로 전달한다. 자신의 말과 행동의 불일치를 경계하고, 외부 관찰자나 멘토 코치로부터 피드백을 적극적으로 요청하며, 이를 반영하여 지속적으로 학습하고 성장한다.

(3) Step back 하는 방법

① 시간적 Step Back

시간적 Step Back은 중요한 결정을 내리기 전에 충분한 시간을 갖고 신중하게 고민하는 방법이다. 또는 어떤 상황이 화가 나서 순간적으로 감정이 올라왔을 때 순간 Step Back으로 큰 문제가 발생하는 것을 사전에 차단할 수 있다. 예를 들어, 교회에서 새로운 사역을 시작하기로 결정하기 전에, 몇 주간 기도하고 성도들의 의견을 듣는 시간을 가진다. 또는 사역 후 팀이 모여 피드백회의를 하는데 "욱" 하고 치밀어 오를 때 순간 Step Back으로 참고 자신을 다스릴 때 더욱 신중하고 하나님의 뜻에 부합하는 결정을 내릴 수 있다.

② 공간적 Step Back

공간적 Step Back은 문제에 대해 물리적 혹은 정신적 거리를 두어 객관적으로 바라보는 것을 의미한다. 예를 들어, 조직에서 발생한 갈등 상황에서 코치나 리더가 잠시 자리를 벗어나 객관적인 관점을 얻기 위해 조용한 곳에서 생각하는 시간을 갖는다. 또한 상사에게 엄청난 꾸지람을 들었을 때 회사를 벗어나 다른 곳에서 생각하는 가지면 현 상황에 대해 더욱 명확하고 효과적인 해결책을 찾는 데 도움이 된다.

③ 정서적 Step Back

정서적 Step Back은 자신의 생각과 감정을 정서적, 의식적으로 관리하며, 내적인 통찰을 얻는 방법이다. 이는 코치의 윤리실천, 코칭마인드셋을 돌아보는 데 적합하다. 또한, 교회나 조직 내에서 어떤 결정에 대한 의견 불일치가 발생했을 때, 코치나 리더는 자신의 감정적 반응을 의식하고, 이러한 감정이 자신의 판단에 어떤 영향을 미칠 수 있는지 고려하며. 이 과정을 통해 보다 더 객관적이고 합리적인 결정을 내릴 수 있도록 돕는다.

 또한 정서적으로 마음을 다스리기 위해서는 잠시라도 예수님과 하나되어 함께 호흡하며 침묵하는 마음의 기도가 되어야 하는데, 3번정도 호흡하며 고요함속에 성령님이 함께함을 인지한다. 이는 Step Back하는데 상당히 효과적으로 작용하고 코칭에도 활용할 수있다. 방법은 이후 다룰 STIGMA 코칭 모델의 호흡묵상기도 부분에서 세부적으로 언급되어 있다.

2) Talking Point & Trust 단계코칭

"T"는 둘째 단계인 Talking Point & Trust(말의 초점과 신뢰)이다. 첫째 단계인 Step Back이 잘되었으면 이때부터 본격적으로 코칭을 시작하면서 고객에게 신뢰와 안전감을 주기 위해 라포를 형성한다. 그리고 고객이 가져온 코칭주제를 합의하고 주제를 명확화한 후 당해 시간 내에 코칭에서 해결해야 할 목표가 무엇인지 초점을 맞추도록 하여야 한다.

(1) 라포(Rapport)

라포는 Step back 이후 코칭이 구체적으로 들어가기 전에 안전한 코칭 환경을 유지하기 위하여 고객에게 신뢰감과 안전감을 줄 수 있는 중요한 대화기술이다. 이 신뢰감 및 안전감은 코칭이 끝날 때까지 유지되어야 한다. 이것은 위에서 언급하였듯이 여러 가지 방법으로 자신을 돌아보며, 코칭의 윤리, 코칭마인드셋 등 코칭기본을 리마인드 한 후, 마음이 편한 질문으로 시작하여야 한다. 라포 형성을 위해 공감, 반영, 인정, 칭찬 등의 기법을 사용하며 이 기법들은 라포뿐만 아니라 모든 코칭 단계에서 활용되어야 한다. 다음은 **라포를 위한 코칭질문예시**이다.

- ”한 주간의 삶 속에서 하나님의 은혜를 경험하신 것 있으면 하나 나눠주시 겠어요? “한 주간 동안 의미 있거나 기억에 남는 일 있으면 한가지 나눠 주시겠어요?“ 신앙생활에서 긍정적인 경험에 집중함으로써 고객과의 관계를 강화하고, 그들의 긍정적인 측면을 탐색하는 데 도움이 된다.

- "이번 주에 당신을 가장 만족하게 만든 성취는 무엇이었나요?" 고객이 최근에 이룬 성취를 공유하도록 하여, 그들의 긍정적인 경험과 성공에 초점을 맞추는 질문이다.

- "요새 어떤 일에 가장 관심이 있으신가요?" 이 질문은 고객이 현재 가장 관심이 있는 분야나 과제를 파악하는 데 도움이 되며, 그들의 현재 상황과 목표를 이해하는 데 중요하다.

---

(2) 코칭 주제합의, 주제의 명확화 및 목표결정

라포가 형성되었으면 고객이 가져온 코칭주제를 합의하고 주제를 명확히 한 후 당해 시간 내에 코칭에서 해결해야 할 목표를 결정하여야 한다. 코칭할 때는 회기별 주제를 즉석에서 정하는 비구조화 코칭과 회기별 주제를 사전에 정하는 반구조화 코칭이 있는데 고객들 각자의 코칭주제 및 목표를 설정하고 그 목표를 달성할 수 있도록 하는 것은 핵심이다.

이 단계에서 개인의 코칭 주제와 목표가 세워진다. 더욱 중요한 것은 하나님의 비전을 생각하면서 기도와 말씀을 기반으로 코칭 주제와 목표가 세워지는 것이 중요하다. Step back으로 마음이 안정되면 코칭 주제와 시간에 대하여 서로 합의한다. 다음은 질문예시이다.

- 오늘 대화는 OO분 정도 가능한데 괜찮으신가요?
- 오늘 어떤 주제(이슈)로 이야기를 나누고 싶으신가요? (주제합의)
- 이 주제를 선택하신 이유나 계기가 있다면 무엇입니까?
- 오늘 대화가 끝났을 때 어떤 상태가 되면 만족스러울까요? (주제 명확화)
- 하나님께서 당신만을 위한 계획이 있다면 무엇일까요?
- 이 주제는 당신의 삶에서 어떤 의미입니까?
- 지금, 이 시간 해결해야 할 코칭목표를 초점을 맞추어 정리해 주시겠습니까? (코칭목표결정)
- 하나님은 그 목표를 어떻게 생각하실까요?

3) Inspiration(靈感) 단계 코칭

"I"는 셋째 단계인 Inspiration(靈感)이다. 고객과 주제 및 시간을 합의하고 명확한 목표가 세워지면 **고객의 주제와 목표에 대한 다양한 탐색 질문으로 하나님의 주시는 영감이 떠올라 의식이 확장되도록 한다.** 즉, 고객의 주제와 목표에 대하여 하나님의 인도하심에 따라 스스로 생각하게 하는 질문이다. 그리고 고객의 이야기를 들으면서 알게 된 코치의 생각이나 느낌, 직관을 고객에게 피드백해 주는 것도 중요하다. 상황에 따라서 아래와 같이 질문을 다양하게 할 수 있다.

(1) 현실 확인

- 현재 상황은 어떤 상태인가요?
- 목표를 해결하는 데 가로막는 걸림돌은 무엇인지요?
- 제삼자의 입장에서 본다면 생각해 볼 수 있을까요?
- 하나님은 이 상황에 대하여 어떤 말을 할 것 같은지요?
- 목표를 이루기 위해 가장 중요한 것은 무엇일까요?
- 만약 3년 후의 모습이 지금 당장 이루어졌다면 어떤 상태일까요?
- 지금 문제가 이대로 지속한다면 1년 후 당신은 어떤 상태일까요?
- 당신이 지금 하나님 외에 의지하고 있는 것이 있다면 무엇입니까?
- 하나님께서는 당신이 지금 어디에 있기를 원하실까요?

(2) 가치와 의도 확인

- 그렇게 행동할 때 어떤 생각들이 일어나고 있는지?
- 지금 당신의 감정은 어떤지요?
- 그런 감정은 어떤 것으로 인하여 만들어졌는지요?
- 당신의 의도는 무엇인지?
- 지금 하는 행동이 자신의 의도에 부합하는지?
- 당신의 신념과 가치가 지금의 상황에 적합한지?
- 삶에서 어떤 것을 중요하게 생각하는지요?
- 하나님은 당신을 어떻게 변화시키기를 원하십니까?
- 지금 당신이 잃고 있는 것, 간과하고 있는 것은 무엇인가요?
- 당신은 힘든 순간을 어떻게 이겨내셨나요?

(3) 자원탐색

- 이전에 이런 상황을 멋지게 해결한 유사한 경험이 있다면 무엇인지요?
- 그와 유사한 이전의 경험에서 배운 것이 있다면 무엇인지요?
- 그때 해낼 수 있었던 고객님의 탁월성, 강점은 무엇일까요?
- 하나님께서 당신에게 주신 능력 중에서 가장 잘할 수 있는 한 가지는 무엇입니까?
- 목표를 해결하기 위하여 주변에 필요한 자원이 있다면?
- 지금 찾으신 강점과 자원을 오늘의 코칭 목표에 적용하신다면 어떤 것을 해볼 수 있을까요?

그리고 상대방의 이야기를 들으면서 알게 된 코치의 생각이나 느낌, 직관을 구성원에게 다음과 같은 질문으로 피드백해 주는 것도 중요하다.

- 내가 생각난 것이 있는데 잠깐 나눠도 될까요?
- 내가 느낀 것이 있는데 잠깐 말씀드려도 될까요?

4) Growth in mind 단계코칭

"G"는 넷째 단계인 Growth in mind(마음속의 성장)이다. 이 단계는 고객이 스스로 마음속에 생각한 대안을 조직화하는 것, 즉 상황에 맞는 방법, 전략을 정하여 성장을 이루는 디딤돌을 만드는 것이다. 즉, 고객이 이전 단계에서 의식이 확장되면 해결 방안을 찾는 마음속의 성장(Growth in mind)단계이다. 고객 자신의 상황에 대하여 새롭게 인식되거나 알아차린 것을 바탕으로 문제나 과제를 해결할 수 있는 새로운 전략, 방법을 찾도록 코칭한다. 또한, 고객의 상황에 대하여 코치가 들은 것, 알게 된 것, 느낀 것, 깨달은 것을 고객에게 피드백해 준다. 이단계에서 해야 할 질문들이다.

- 지금까지 대화에서 새롭게 인식한 것이나 알아차린 것이 있다면?
- 내가(코치) 알게 된 것, 자각된 것을 나누어도 될까요? (피드백)
- 코칭하면서 깨달은 점을 나누어도 될까요? (피드백)
- 알아차린 것을 바탕으로 코칭목표의 해결방안이 있다면? 또 있다면? 또 있다면?
- 지금까지 시도해 보지 않았던 새로운 시도 방안은 무엇일까요?
- 대안중에서 가장 시급한(효과적인, 적합한) 것을 선택한다면 무엇입니까?
- 하나님이 함께하신다면 실행하고 싶은 것은 무엇입니까?

위의 단계 코칭은 (사)한국코치협회의 8가지 역량 성장지원의 단계 중 정체성과의 통합 지원의 요소가 포함되며, 이것은 고객의 학습과 통찰을 자신의 가치관 및 정체성과 통합하도록 지원하게 된다. 학습은 정보를 배우고 이해하는 것이고, 통찰은 그 정보를 바탕으로 새로운 아이디어나 깨달음을 찾는 과정이다. 코치는 고객이 코칭을 통해 얻은 학습과 통찰을 자신의 정체성과 가치관과 조화롭게 어우러지도록 돕는다. 이를 통해 실행력을 높이고 지속적인 성장을 이룰 수 있도록 지원한다.

5) Meditate 단계 코칭

"M"은 다섯째 단계인 Meditation(묵상)이다. 상황에 맞는 방법, 전략이 결정되었으면 **코칭으로 달려온 마음을 정돈하는 시간을 갖기 위해 짧게 호흡묵상기도를** 하도록 한다. 결국, 코칭의 침묵과 쉼표의 의미를 가진다. 이 **짧은 호흡 묵상기도를 통하여 코칭의 최종단계인 성공적인 실행계획수립을 위하여 그동안의 숨가쁘게 달려온 코칭 여정을 정돈**하는 것이 중요하다.

호흡묵상기도에 대하여 살펴보면 다음과 같다.

호흡 묵상기도는 몸과 마음의 균형을 맞추고, 하나님을 의지하여 내면의 평화를 찾기 위한 실천법이다. 이 방법은 잠시라도 예수님과 하나되어 함께 호흡하며 침묵하는 마음의 기도가 되어야 하는데, 3번정도 호흡하며 고요함속에 예수님과 함께한다.

특히, 창세기(2:7)에서 하나님이 흙으로 사람을 창조하시고 생기를 불어넣으시니 사람이 생령이 되었다고 하였다. 그러므로 **호흡은 단순히 숨을 쉬는 것이 아니라 하나님의 살아있는 영적호흡{생기}으로 인해 그분의 생명과 능력이 육(肉)에 스며들어 완전한 영적존재인 사람이 된 것이므로 호흡의 의미는 너무 크다.** 그러므로 그동안의 코칭 여정을 숨 가쁘게 달려온 고객에게 마음을 정돈하는 시간을 주는 것은 **코칭의 침묵, 쉼표의 의미를 갖고 있다.**

(1) 호흡묵상기도는 어떤 효과가 있는가?

① **마음과 몸의 연결:** 호흡은 마음과 몸을 연결하는 다리 역할을 한다. 호흡이 깊고 규칙적일 때, 신체는 이완 상태로 들어간다.

② **현재에 집중:** 호흡에 집중함으로써, 우리는 현재 순간에 더욱 집중할 수 있다. 이는 마음이 과거나 미래에 머무르지 않고, '지금 여기'에 존재하게 한다.

③ **하나님의 임재:** 호흡을 통해 하나님의 인도하심으로 자신의 내면에 더 깊이 들어가, 자기 자신을 더 잘 이해하고, 감정과 생각을 관찰하는 능력을 향상시킬 수 있다.

호흡 묵상기도는 짧고 단순하지만 강력한 도구이다. 이를 통해 마음정리, 집중력 향상, 감정 조절 등 다양한 이점을 얻을 수 있다. 코치의 전문적인 배경과 경험을 바탕으로, 이러한 실천을 개인의 코칭 세션에 통합하거나, 자기 자신의 일상에 적용해 보는 것도 매우 유익할 것이다.

(2) 호흡묵상 코칭하기

- 지금 자세를 이 세상에서 제일 편안하게 **취하실 수 있나요?**□
- 깊은 호흡을 3번 정도 하면서 하나님께 묵상으로 나아갈텐데요.. 눈을 감아도 되고 떠도 됩니다. **가능하신가요?**
- 숨을 들이마실 때 태초에 하나님이 인간에게 주신 생명과 능력의 기(氣), 온 우주의 기(氣)가 내 몸속에 들어온다고 생각하고 깊게 들이마십시오.
- 숨을 내쉴 때는 나의 에너지가 온 세상에 퍼진다는 생각을 가지고 깊게 내쉬면 됩니다.
- 이때 호흡에 주의를 집중하면서 호흡과 함께 일어나는 몸의 반응, 즉 목의 움직임, 어깨의 움직임, 가슴의 움직임, 아랫배의 움직임을 알아차립니다 **괜찮으신가요?**
- 깊게 들어 마시고~~, 내쉬고~~, 들이 마시고
- 마지막 깊게 내쉰 후 10초정도 하나님께 묵상으로 나아간다. (코치가 3번 호흡을 고객과 보조를 맞추면서 같이하면 좋다)

- 🍎 코치와 고객이 같이 평온해질수 있다. 고객과 함께 3번의 호흡을 한 후에 고객이 하나님께 묵상으로 10초정도 머물수 있도록 기다린다
- 🍎 호흡묵상을 한 이후에는 지금 기분은 어떤지, 마음상태는 어떤지, 하나님께서 주신 마음은 무엇인지 등을 고객에게 상황에 따른 질문한다.

6) Action & Accountability 단계 코칭

"A"는 마지막 단계인 Action & Accountability(실행과 책무)이다. 묵상을 통하여 마음을 정돈하였으면 앞에서 정해진 새로운 전략, 방법이 성공적으로 실행(Action)이 될 수 있도록 한다. 이때 **고객 자신의 책무(Accountability: 고객 스스로 할 일에 대한 책임이나 임무)는 가장 중요하다.**

Action & Accountability 단계 코칭에서 (사)한국코치협회의 8가지 역량 중 마지막 8단계인 성장지원의 단계 중 3가지 핵심요소를 다음과 같이 요약 정리할 수 있다.

(1) 행동 전환 지원

고객이 실행계획을 실천할 수 있는 후원환경을 만들도록 지원한다. 코치는 고객이 학습과 통찰을 실제 행동으로 이어질 수 있도록 돕기 위해 고객이 스스로 지원환경을 구축하도록 도와준다. 이는 실행과 관련된 환경을 혼자서 만드는 것이 아니라 이해관계자와 협력하여 필요한 지원과 협력 관계를 구축하도록 지원하는 것을 의미한다. 실행 과정에서 예상되는 어려움을 극복하기 위해 누구의 도움이 필요하며 실행을 가속화하기 위해 누구의 지원과 격려가 필요한지를 고객 스스로 고려하고 계획할 수 있도록 돕는다.

또한, 고객이 행동 전환을 계속할 수 있도록 지지하고 격려한다. 코치는 행동 변경의 지속성을 유지하기 위해 고객의 내적 동기와 성공 요소를 활성화하고, 행동 변화를 계속 지지하고 격려한다. 질문예시는 다음과 같다.

- 언제 시작하실 것인지요?
- 구체적으로 어떻게 할 계획인지?
- 그것을 실행하는데 예상되는 장애 요인이 있다면 무엇인지요?
- 누구의 도움이 필요할까요?
- 어떤 마음으로 극복하시겠어요?
- 실행하는 것을 누구에게 이야기하면 실행력이 배가될까요?

(2) 자율성과 책임

고객이 행동 계획을 스스로 자율적으로 수립하고 실행하도록 지지해 준다. 코치는 고객이 목표를 설정하고 실행 방법을 스스로 결정하며 행동하는 데 도움을 준다. 이는 고객이 스스로 선택하고 그 선택에 책임을 지도록 지지하고 격려하는 것이다. 인간은 자율성에 기반한 내적 동기로 행동할 때 더 나은 결과를 이루는 경향이 있다. 질문예시는 다음과 같다.

실행과정을 스스로 어떻게 점검할 것인지요?

(3) 변화와 성장 축하

고객의 변화와 성장을 축하하고, 그들의 노력을 인정해준다. 코치는 실행 과정에서 고객의 노력을 격려하고, 성공적인 결과를 함께 기뻐하며, 고객이 자신의 노력으로 이루어 낸 변화와 성공을 축하한다. 코치는 코칭 전체 과정 동안 고객의 언어, 행동, 가시적인 성과 등은 물론 고객의 의식, 태도, 가치, 신념 등 내재적인 변화와 성장을 함께 알아차리는 것이 중요하다.

코치가 고객의 작은 성취 하나, 행동 변화 하나도 놓치지 않고 감지하고 고객이 새롭게 알아차린 것을 그때그때 인지하고 축하한다면 고객은 너무 행복해 할 것이다. 코치와의 코칭 과정을 마치면, 고객은 자신의 학습과 성장을 이해관계자와 함께 공유하고, 변화와 성장을 따뜻하게 지지받는 환경에서 상호 축하하는 자리로 마무리한다. 다음은 **코칭 마무리 단계에서의 코치가 고객의 변화와 축하 예시다.**

> " 고객님 정말 멋지십니다! 고객님이 대안으로 준비한 성경 이야기가 어린이들의 관심을 끌게 할 수 있다는 알아차림이 큰 성취네요. 특히, 교회에서 사역의 어려움과 처음에 느꼈던 걱정을 극복하고 어린이들과의 소통에 지속적인 관심과 사랑을 주는 고객님의 노력을 하나님께서는 기뻐하실 거예요. 앞으로 할 일에 응원드려요.

결국, 이 단계는 고객의 자율성과 책임을 고취하고 고객의 행동 전환을 지원함으로써, 구체적인 실행계획이 결정되는 것이다. **위 (1)~(3)의 질문을 프로세스로 정리하면 다음과 같다.**

- 언제 시작하실 것인지요?
- 구체적으로 어떻게 할 계획인지?
- 누구의 도움이 필요할까요?
- 실행과정을 스스로 어떻게 점검할 것인지요? (고객의 책무)
- 실행하는 것을 누구에게 이야기하면 실행력이 배가될까요? (고객의 책무)
- 그것을 실행하는데 예상되는 장애 요인이 있다면 무엇인지요?
- 어떤 마음으로 극복하시겠어요?
- 그것을 성공적으로 실행하는 데 무엇이 필요한지요?
- 오늘 ~ 목표를 가지고 진행했는데 어떠셨나요? (성공척도질문)
  (처음에 몇 점을 원하는 수준으로 하셨는데 지금은 몇 점 정도 되신 것 같으세요?)
- 지금 자신에게 어떤 이야기를 해주고 싶습니까?
- 오늘 코칭 대화에서 발견한 가장 중요한 감사는 무엇입니까?
- 제가 당신의 발견한 감사와 목표를 위하여 기도하고 마쳐도 될까요?

전체적인 맥락에서 코치는 코칭의 첫 단계부터 마지막 단계까지 경청, 질문, 피드백으로 최선을 다한다. 이럼으로써 고객과의 무의식적인(완전한) 신뢰 관계를 만든다. 신뢰는 코칭의 윤활유이다. 무의식적인 신뢰가 만들어졌을 때 효과적으로 코칭할 수 있다. 그리고 고객에 대한 코치의 영향력은 극대화된다. 고객과의 변화와 성장은 아주 자연스럽게 일어난다.

4 코칭 사례 및 예시

1) 비정형화된 삶 속에서 코칭 사례

아래는 삶 속에서 일어나는 사건들이 자연스럽게 코칭(STIGMA 코칭모델) 형태로 움직여 가는 것을 볼 수 있는 저자의 실제 사례이다.

사례

내가 성령님의 인도하심으로 국가기간도로 사업에서 성공한 예시가 있어 소개하려고 한다. 내가 ㅇㅇ도로 유지관리를 시행하는 지사장의 업무를 수행하는 중에 갑자기 본사에서 oo도로현장의 건설사업총괄단장으로 가라고 지시가 떨어졌다. 그 이유는 현장에서 지속적으로 안전사고가 발생하여 사람이 죽고 있으며, 이에 따라 현장의 공사도 크게 차질이 빚게 되어 시공사의 손해는 물론 직원들의 사기가 엄청나게 떨어져 있었다. 결국, 지속적인 민원으로 인해 국가 공사의 준공계획에 큰 문제가 발생하여 총체적인 난국이었고 이것을 해결하라는 것이었다. 실은 본사에서 이곳을 보내려고 베테랑 단위 기관장들을 검토하였으나 지목당할까 봐 모두 두려움에 떨고 있었다.

회사에서 나를 지목하였을 때는 국가기간사업으로 추진하고 있는 109km의 긴 도로 연장과 2조가 넘는 사업비, 우리나라의 굴지의 건설회사가 100여 개가 넘고, 하루에

2,000명이 넘는 인부가 일을 하는 곳이었다. 나는 그 엄청난 곳에 가야 하는 건설사업 단장의 사명이 너무도 크고 두려워 망설여졌었다. 나는 본사의 두려운 명령을 받는 순간, 하나님께 기도하였고 말씀이 떠올랐다. "두려워 말라 내가 너와 함께함이니라 놀라지 말라 나는 네 하나님이 됨이니라 내가 너를 굳세게 하리라 참으로 너를 도와 주리라 참으로 나의 의로운 오른손으로 너를 붙들리라"라는 이사야 선지자의 고백인 성경말씀(이사야 41:10-13)이었고 마음을 추스르는 힘이 되었다. **(Step back)**

이에 느헤미야가 했던 절실한 기도(느2:1~8)가 생각났다. 예루살렘 성이 무너지고 성문이 불타 조국에 대한 생각으로 슬퍼하고 금식하여 기도하는 느헤미야에게 페르시아왕의 "무엇을 원하느냐?"라고 질문을 받았을 때, 이 절호의 기회를 받아들이지 않고 Step back 하며 침착하게 하나님께 지혜의 기도를 드린 것이었다. 함부로 예루살렘의 재건을 갑자기 이야기했을 경우 왕의 곁을 떠날 수 없는 상황에서 왕의 분노로 문제가 발생 될 수 있는 상황이었으나 왕의 은혜에 대한 감사와 조상의 묘실이 있는 성의 건축을 해달라는 간곡한 묘사로 재건의 승낙을 얻어낸 것이다.
나는 이사야의 말씀에 힘입어 두려움을 이겨 내려 했고, 느헤미야의 기도를 생각하며 본사에 어떻게 지혜로운 요청을 하고 승낙받아 현장을 안정시킬 것인가를 생각했다.
(Talking Point)(Inspiration)

결국, 이러한 하나님의 말씀에 힘입어 "남들이 할 수 없는 이 일을 크리스천이 하지 않으면 누가 할 것인가?"하고 그곳이 재건될 때까지 본사의 개입을 잠시 중단하고 전체적인 권한을 갖게 해달라고 기도하였다. 실은 그 골 아픈 현장을 단위 기관장이 전권을 달라는 자체가 쉽지 않은 요청이었다. 그 요청이 이루어졌고 하나님께 기도하며 맡기고 이 명령을 받아들였다. 그 직후 바로 부임하여 현장에서 습관적으로 하는 고사(告祀)와 무당집회를 중지시키고 교회에서 목사님과 장로님, 교구장님들이 버스로 내려와 함께 예배를 드렸다. **(Meditate)**

이때 회사 직원은 물론 전 현장의 건설회사 중역과 현장 소장들과 함께 약 150명이 예배를 드렸고 목사님의 축도가 회사 홈페이지에 올라가는 놀라운 일이 벌어졌었다. 모든 이들이 의문의 눈초리로 쳐다보았으나 하루에 한 건씩 발생하던 사고가 1년이 됐는데도 한 건의 사망사고가 나지 않고 공사가 순조롭게 진행되자 내 책상에 있는 전도용 성경 10권이 순식간에 동이 났다. 그 이후 예배는 계속되었으며 고속도로가 준공되는 2년 반 동안 한 건의 사망사고 없이 공사가 성공리에 완공되었다. (Action & Accountability)

그로 인해 나는 산업 유공으로 나라가 주는 국가산업훈포장을 받게 되었다. 이 모든 것이 하나님의 주권 아래 있다는 거룩한 믿음의 습관이 유지되므로 이루어진 알아차림의 결과가 아닌가 생각된다.

2) 정형화된 STIGMA 코칭 예시

다음은 코칭 프로세스로 정형화된 2가지 KAC(Korea Associate Coach)코칭예시이다.

1) 코칭 예시 (주제 : 새로운 교회에 적응하기)

[1. Step back]
코치는 윤리실천을 다짐하고 코칭마인드셋(자기인식, 자기의식)을 장착한다.
고객과는 본격적인 코칭 시작 이전에 서면으로 코칭계약합의를 할 수 있다.
또한, 묵상기도 또는 자연을 거닐면서 오늘 코칭에서 하나님이 주신 자신의 의도가 무엇인지를 정한다.

[2. Talking Point & Trust]

< 라포 >

코치 : 고객님. 안녕하세요?

고객 : 네, 코치님 안녕하세요?

코치 : 한 주간 하나님의 은혜로 행복했거나 의미 있는 일이 있었으면 한 가지
　　　 만 말씀해 주시겠습니까?

고객 : 네~코로나로 힘들었지만 요번에 아들이 엄청난 경쟁률을 뚫고 회사에 입
　　　 사했어요.

코치 : 오우~ 너무너무 축하드려요~ 요새같이 어려운 시기에 아드님이 입사하
　　　 셨군요~　마음은 어떠세요?

고객 : 너무 행복합니다.

코치 : 그렇군요~ 이 행복한 마음을 담아 오늘 코칭을 20분 정도 하려는데 괜
　　　 찮은가요?

고객 : 네~ 감사합니다.

< 주제의 합의, 명확화 및 목표결정>

코치 : 오늘 어떤 주제로 대화하면 좋을까요? **(주제합의)**

고객 : 네~ 교회를 옮겼는데 교회에 적응 못 할까 봐서 고민이에요.

코치 : 교회에 잘 적응 못 할까 봐 고민하는 이유는 무엇인가요?

고객 : 실은 이전 교회에서 교인 때문에 마음의 상처가 있어서 1년을 고심하다
　　　 가 어쩔 수 없이 교회를 옮기게 됐어요.

코치 : 그렇군요. 교회에 잘 적응한다는 것은 삶에 어떤 의미인가요?

고객 : 우리 가족의 행복을 가져다주는 것이지요. 정상적인 신앙생활을 못 해서 지금 가족들이 너무 힘들어해요. 열심히 살았는데 하나님께서 왜 이런 고난을 주시는지 알 수가 없어요.

코치 : 그렇군요~지금 심적으로 너무 힘드시겠어요.

고객 : 네...너무 힘들어요.

코치: 그럼 오늘 코칭이 끝났을 때 어떤 상태가 되면 만족하시겠어요? **(주제의 명확화)**

고객: 빨리 교회에 잘 적응해서 신앙적으로 행복해질 수 있도록 마음속에 해결책이 나오면 좋겠어요.

코치 : 그렇군요. 지금 코칭 시간에 해결해야 할 목표를 초점을 맞춰서 한 문장으로 정리해 보시겠어요?. **(코칭목표결정)**

고객 : 교회에 잘 적응하는 방법을 목표로 정하고 싶어요.

코치 : 그러면 교회에 잘 적응하는 방법을 오늘의 코칭목표로 진행해도 될까요?

고객 : 네. 감사합니다.

[3. Inspiration]

코치 : 고객님의 현재 상황은 어떤 상태인가요?

고객 : 교회는 다니고 있는데요. 남편과 아이들이 문제에요.

아이들은 이전에 다니던 교회에 친구들이 있다 보니 이전 교회에 다니고 있고요. 남편은 원래 믿음이 약했는데 그 일로 아예 교회를 듬성듬성 다녀요.

코치 : 너무 속상하시겠어요. 이것을 해결하는데 장애물은 무엇이라고 생각하세요.

고객 : 음... 그것은.... 믿음이 약해서일까요?

코치 : 믿음이 약해서라고 생각하는 이유는 무엇일까요?

고객 : 실은 남편 사업이 잘되었는데. 잘되고 있을 때 하나님께 더욱 매달리지 않고 믿음생활을 소홀히 한 것 같아요. 그래서 하나님이 고난을 주시는 것이 아닌가 생각돼요. 교회의 잘 아는 몇 분의 집사님에게 돈을 빌려줬는데…. 처음에는 돈이 그렇게 궁하지 않아서 언제가는 갚겠지 했어요. 그런데 사업이 코로나로 어려워져서 빌린 돈을 갚으라고 요청했는데 거의 1년을 안 갚고 있는 바람에 사업은 너무 힘들어지고 있고….

코치 : 그렇군요. 사업이 잘되고 있을 때 믿음 생활을 소홀히 해서 하나님이 고난을 주고 계신다고 생각하시는군요.

고객 : 네. 그런 것이 아닌가 생각되네요….

코치 : 만약에 하나님이 교회에 잘 적응하도록 해서 믿음 생활을 잘하도록 해주신다면 1년 후에는 고객님과 가족은 어떤 모습일까요?

고객 : 아마 너무 행복한 삶을 살 것 같아요.

코치 : 그렇다면 하나님은 뭐라고 말씀하실까요?

고객 : 음…. 우리 가족이 믿음 생활을 잘해서 예전처럼 행복하니까 "내 딸아, 너무 잘했구나" 라고 너무 기뻐하실 것 같아요.

[4. Growth in mind]

코치 : 와우~하나님께서 고객님의 마음에 엄청나게 감동하실 것 같아요~지금까지 대화를 통해서 새롭게 인식된 것이나 알아차린 것이 있다면 무엇입니까?

고객 : 네. 지금까지는 하나님이 왜 고난을 주시느냐고 불평만 했는데.. 대화속에
　　　서 나의 믿음의 부족함이 아닌가 생각되네요. 하나님은 우리 가족을 사랑
　　　하셔서 우리 가족을 버리지 않으시고 좋은 교회로 인도하신 것을 새삼 알
　　　게 된 것 같아요.

코치 : 오우~고객님의 가족을 사랑하셔서 버리지 않으시고 이곳까지 인도하신
　　　하나님을 생각하셨군요~그렇다면 교회에 잘 적응하는 방안이 있다면 무
　　　엇이 있을까요?
고객 : 음... 예배와 기도 생활을 더욱 절실히 해야 할 것 같아요.

코치 : 다른 방안이 있다면?
고객 : 가정예배를 드리면 좋겠어요~

코치 : 또 다른 방안이 있다면?
고객 : 이전 교회의 돈을 빌려준 집사님들을 용서해야 할 것 같아요. 코로나로
　　　인해서 그분들의 사업도 다 접어서 너무 어려운 생활하고 있거든요. 돈
　　　은 나중에 여건이 될 때 갚으라고 그래야 할 것 같아요. 그래서 마음의
　　　응어리를 풀어야 할 것 같아요. 우리 남편도 그러면 좋겠네요.

코치 : 지금까지 말씀하신 방안 중에서 우선하고 싶은 것은 무엇입니까?
고객 : 우선 나 자신부터 가정예배와 기도생활을 더욱 절실히 해야 할 것 같아요.
　　　그래서 남편과 아이들을 잘 인도해야겠어요. 내가 무너지면 안 될 것 같아요.

[5. Meditate : 묵상]

코치: 그렇군요~ 무너지면 안 된다는 말씀 속에서 고객님의 굳건한 믿음을 회복
　　　하려는 모습이 너무 아름다워요. 그러면 지금까지 코칭의 여정을 함께 달려

왔는데요~ 잠시 하나님께 호흡묵상으로 나아가는 시간을 갖고자 하는데 괜찮을까요?

고객: 네~괜찮습니다.

코치: 지금 앉아있는 자세를 이 세상에서 제일 편안하게 앉아 보실까요?

- 눈을 감으셔도 좋고요. 뜨셔도 좋습니다.
- 호흡에 주의를 집중하며 3번 정도 코로 들이마시고 입으로 내쉬면 됩니다.
- 숨을 들이마실 때 태초에 하나님이 인간에게 주신 생명과 능력의 기(氣), 온 우주의 기(氣)가 내 몸속에 들어온다고 생각하시고 깊게 들이마십시오.
- 숨을 내쉴 때는 나의 에너지가 온 세상에 퍼진다는 생각을 가지고 깊게 내쉽니다.
- 자~숨을 들이마시고~ 내쉬고, 들이마시고~ 내쉬고, 들이마시고~ 내쉬고~ (3초정도 침묵)
- 하나님께 잠깐 묵상으로 나아갑니다(**약 10초 정도 기다려 준다**).
- 기분은 좀 어떠신가요?

고객: 하나님의 임재가 느껴지고 마음이 편안하고 정돈된 느낌입니다.

코치: 와우~ 하나님께서 함께하셔서 마음이 편안하고 정돈된 느낌이시군요.
앞으로 가정예배와 기도생활을 열심히 해서 남편과 아이들을 잘 인도한다고 하셨는데 이 모든 것을 하나님이 인도해 주실 줄 믿습니다.

고객: 감사합니다. 말씀만 들어도 감사하네요.

[6. : Action & Accountability 실행 및 책무]

코치 : 그러면 가정예배와 기도생활을 언제부터 하시면 좋을까요?

고객 : 요번 주부터 교회 공예배에 빠지지 않아야겠고 금요철야에 참석해서 열심히 기도하는 모습을 가족에게 보여주면서 가정예배를 생각해 봐야겠습니다

코치 : 오우~ 공예배 참석이요~. 지금 이시간 하나님께서 고객님을 어떻게 생각 하실까요?

고객 : "사랑하는 내딸아"~~ㅎㅎㅎ

코치 : "사랑하는 내딸아"~하하하, 정말 하나님께서 고객님을 사랑하시는 것 같 아요~ 그렇다면 그것을 스스로 실행헸다는 것을 어떻게 알 수 있을까요?

고객 : 교회에서 저의 모습을 보면 되지 않을까요?

코치 : 아~ 그렇군요. 그렇다면 오늘 대화를 통해 유익함이 있었다면?

고객 : 새로운 교회에서 어떻게 적응할까 암울했는데 믿음에 대하여 나를 한번 돌아보게 하고 적응하는 방안을 생각하면서 하나씩 하나씩 해나갈 수 있도록 기도제목을 주시고 정리된 것이 너무 감사하네요.

코치 :감사합니다. 교회에 새롭게 적응하기가 쉽지만은 않은데 회복하고 싶은 마 음의 절실함이 느껴졌습니다. 하나님께서 분명히 고객님과 가정을 사랑하셔 서 회복의 역사가 일어날 것을 믿습니다. 이렇게 새롭게 출발하시는 고객님 을 응원합니다. 고객님의 기도제목을 위해서 기도하고 마쳐도 될까요?

고객 : 네~ 감사합니다.

코치 : 사랑의 하나님~ 고객님의 삶을 주관해 주시옵고, 예배와 기도생활을 통해 서 믿음이 회복되어 가정이 되살아나고 더욱 행복해지길 소망합니다. 교회 에 잘 적응하여서 빚진 자를 서로 용서함으로써 그리스도의 향기가 물씬 풍기는 믿음의 헌신자가 되기를 예수그리스도의 이름으로 기도합니다. 아 멘~

고객 : 기도해 주신 것 너무 감사합니다.

2) 코칭 예시 (주제 : 다이어트, 비기독교인 코칭 예시)

[1. Step back]

코치는 윤리실천을 다짐하고 코칭마인드셋(자기인식, 자기의식)을 장착한다.
고객과는 본격적인 코칭시작이전에 서면으로 코칭계약합의를 할 수 있다.
또한, 묵상 또는 자연을 거닐면서 오늘 코칭에서 자신의 의도가 무엇인지를 정한
다.

[2. Talking Point & Trust]

< 라포 >

코치 : 고객님. 안녕하세요?
고객 : 네, 코치님 안녕하세요?

코치 : 요새 모든 국민이 코로나 이후로 경제가 다 힘드신데~ 고객님은 좀 어떠
세요? **(라포질문)**
고객 : 네, 힘들지만 최선을 다해서 살고 있어요. 저는 지금 유아용품 회사를 운영
하는데요. 수출이 막혀서 어려움을 겪고 있는데~ 내수로 좀 돌려서 현 상
태를 유지하는 것만해도 감사한 일인 것 같아요~

코치 : 오우~ 현 상태를 유지하는 것은 정말 대단하신 것 같아요~
현 상태를 유지할 수 있는 고객님만의 노하우는 무엇일까요?
고객 : 음~ 아마도 직원들과의 신뢰가 아닐까, 생각해요~저는 직원들을 믿거든
요~ 그래서 그런지 직원들이 능동적으로 할 일을 해나가는 것 같이요.

코치 : 직원들을 믿는다고 했는데 그것은 어떤 계기로 믿음을 갖게 된 것일까요?.

고객 : 아~ 실은 과거 IMF 때 도산의 위기가 있었는데요~직원들이 봉급을 받지 않고 최선을 다한 덕분에 회사를 살렸어요~그 이후로 서로의 신뢰가 엄청 난 거죠~ 이것은 돈으로도 바꿀 수 없는. 뭐랄까. 형제이자 가족이고 결국 회사는 직원들이 운영하는 거죠~

코치 : 아~ 그렇군요~ 직원들의 희생과 헌신이 회사를 살렸군요~ 아마도 고객 님이 평상시에 직원들을 사랑하고 잘해드려서 그런 마음을 갖게 된 것 아닌가 생각되는데 어떤가요?

고객 : 아고~ 제가 부족한데도 이렇게 해준 직원들께 너무 감사할 뿐이죠.

< 주제의 합의, 명확화 및 목표결정>

코치: 겸손한 말씀이시네요~ 그런 마음들이, 발전된 회사의 미래가 보입니다 그러면 오늘 어떤 주제로 대화를 나누면 좋을까요? (주제합의)

고객 : 오늘은 건강에 관해서 이야기했으면 해요.

코치 : 그렇군요. 이유나 계기는 무엇인가요?

고객 : 네. 그동안 회사에 너무 전력 질주하였더니 건강에 무리가 온 것 같아요. 코로나로 인해 스트레스 살도 많이 불었어요.

코치: 건강에 무리가 왔군요. 스트레스로 살도 찌고요.

고객: 네~

코치: 그럼 오늘 코칭이 끝났을 때 어떤 상태가 되면 만족하시겠어요? (주제의 명확화)

고객: 건강도 챙기고 살도 빠져서 내가 회사에 더욱 정진하여 돈을 많이 벌어서 직원들 월급도 많이 주고 회사도 더욱 발전하게 하면 좋겠어요.

코치 : 그렇군요~그렇다면 오늘 코칭에서 해결했으면 하는 것을 초점을 맞추어
　　　서 한 문장으로 정리해 주신다면요? **(코칭목표결정)**

고객 : 음~건강을 위해 다이어트할 수 있는 방법을 찾는 것이요

코치 : 네~ 그러면 건강을 위해 다이어트할 수 있는 방법을 오늘의 코칭목표로
　　　진행하면 될까요?

고객 : 네~ 감사합니다.

[3. Inspiration]

코치 : 고객님의 다이어트를 위한 현재 상황은 어떤 상태인가요?

고객 : 지금은 과거 평균 체중보다 6kg 정도가 살이 더 붙었어요.

코치 : 그렇다면 다이어트로 원하는 몸무게는 어느 정도인가요?

고객 : 약 10kg 정도는 빼야 해요. 혈압약도 먹은 지 1년 정도 되었는데요~
　　　현재는 당뇨가 없어서 다행인 것 같아요~

코치 : 그렇군요. 당뇨가 없어서 천만다행입니다~ 요번 기회에 반드시 다이어트
　　　에 성공하시기를 응원할게요~ 혹시 이전에 다이어트를 한 성공한 경험
　　　이 있으면 무엇인지요?

고객 : 음~ 그때도 아주 바빴는데 동생이 수지침과 함께하는 금식과 소식 다이
　　　어트하는 곳을 소개해 줘서 한 달 만에 7kg을 뺀 적이 있어요~

코치 : 그때 해낼 수 있었던 고객님의 강점은 무엇이었나요?

고객 : 아마도 인내가 아닌가 생각합니다. 제가 원래 삼시 제때 정량의 식사를
　　　안하면 안되는 성격이고요~ 회사 일은 많고 사람도 만나야 하는데 금식
　　　과 소식으로 무지 힘들었거든요. 그런데 그것을 한 달 동안 해냈어요~

코치 : 와 ~ 인내군요~ 인내해서 예전보다 더 빼서 10kg을 뺀다면, 상상을 해

　　　보셨을 때 목표가 이루어지고 1년 후에는 어떤 모습일까요?

고객 : 아~ 옷매무새가 좋아지고요~건강해졌겠죠~혹시 혈압약을 안 먹을 수도

　　　있고, 당뇨 걱정은 안 해도 될 것 같은데요~

[4. Growth in mind]

코치 : 와~ 생각만 해도 건강해진 고객님의 모습이 떠올려지네요~

　　　지금까지 대화를 나눴는데 새롭게 인식되거나 알아차린 것이 있다면 무

　　　엇입니까?

고객 : 다이어트를 하면 회사와 저의 앞날에 또 다른 제2의 도약이 있을 것이

　　　라는 확신이 들었습니다.

코치 : 그래서 그 확신을 바탕으로 무엇을 해보면 좋을까요?

고객 : 운동을 하면 좋겠네요~

코치 : 어떤 운동인가요?

고객 : 규칙적으로 헬스장에서 근력과 걷기운동을 함께하면 좋겠네요~

코치 : 또 다른 대안이 있다면?

고객 : 아침은 금식하고 6시 이전에 저녁 식사를 하고 밤에는 절대 간식을 먹

　　　지 않는 습관을 가져보면 어떨까 싶네요~저번에 수지침에 금식과 소식

　　　의 방법을 접목했는데 그곳이 코로나 이후로 문을 닫은 것 같아요.

코치 : 아~정말로 아쉽군요. 그렇다면 또 다른 대안이 있다면?

고객 : 한 달 정도 아침은 금식하고 점심은 밥, 저녁은 샐러드를 먹는 다이어트

　　　식을 먹으면 어떨까, 싶네요~

코치 : 말씀하신 것 중 무엇을 우선 해보시겠습니까?

고객 : 이야기한 것을 복합적으로 하여 아침 샐러드, 점심은 밥, 저녁은 6시 이전에 셀러드를 먹고 그냥 하루 만 보 이상 걷기운동을 해보는 것이 좋을것 같아요.

코치 : 아까 10kg을 빼면 좋겠다고 하셨는데 이렇게 하면 다이어트가 된다는 확신이 있습니까?

고객 : 그렇습니다~

[5. Meditate : 묵상]

코치: 그렇군요~ 고객님의 굳건한 확신을 보게 돼서 멋지십니다.

　　　그러면 지금까지 코칭의 여정을 함께 달려왔는데요~

　　　잠시 호흡묵상으로 나아가는 시간을 갖고자 하는데 괜찮을까요?

고객: 네~괜찮습니다.

코치: 지금 앉아있는 자세를 이 세상에서 제일 편안하게 앉아 보실까요?
- 눈을 감으셔도 좋고요. 뜨셔도 좋습니다.
- 호흡에 주의를 집중하며 3번 정도 코로 들이마시고 입으로 내쉬면 됩니다.
- 숨을 들이마실 때 온 우주의 기(氣)가 내 몸속에 들어온다고 생각하시고 깊게 들이마십시오.
- 숨을 내쉴 때는 나의 에너지가 온 세상에 퍼져 영향력을 끼친다는 생각을 가지며 깊게 내쉽니다.
- 숨을 들이마시고~ 내쉬고, 들이마시고~ 내쉬고, 들이마시고~ 내쉬고~ (3초 침묵)
- 잠깐 조용히 묵상으로 나아갑니다(약 10초 정도 기다려 준다).
- 묵상하니 기분은 좀 어떠신가요?

고객: 마음이 편안하고 정돈된 느낌입니다.

코치: 편안하고 정돈된 느낌이시군요.

고객: 네~ 마음이 평온합니다

[6 : Action & Accountability 실행 및 책무]

코치 : 이런 평온한 마음을 가지고 아까 우선 해보겠다고 하신 것을 생각해볼까
요? 아까 10kg 감량을 아침 샐러드, 점심은 밥, 저녁은 6시 이전에 샐
러드를 먹고 그냥 하루 만 보 이상 걷기운동을 하신다고 하셨는데요.
언제부터 하시겠습니까?

고객 : 이번 주는 회사 일이 너무 바쁘고~ 다음 주 월요일부터 시작하도록 해보
겠습니다.

코치 : 어느 정도 기간을 하시면 10kg의 목표를 이룰 수 있을까요?

고객 : 약 6개월이면 가능하지 않을까요~해보고 덜 빠지면 기간을 늘리는 방법
을 택하도록 하겠습니다.

코치 : 그것을 누구한테 이야기하면 실행력이 배가 될까요?

고객 : 아내에게 진심으로 이야기하겠습니다.

코치 : 실행하고 있다는 것을 스스로 어떻게 점검하시겠습니까?

고객 : 다이어트 일지를 써서 실행한 운동과 식단을 매일 적어 보겠습니다.

코치 : 와~ 다이어트 일지요? 정말 하시겠다는 의지가 돋보이네요. 대단하십니
다~ 오늘 코칭 대화에서 유익함이 있었다면?

고객 : 다이어트에 대한 구체적인 실행방안이 나온 것이 너무 좋아요~

코치 : 고객님의 강점인, 인내로 다이어트에 반드시 성공해서 건강과 제2의 도약
　　　을 꼭 이루도록 제가 항상 응원하겠습니다. 혹시 제가 코칭을 마치기 전에
　　　제가 믿는 하나님께 기도해 드리고 마치려고 하는데 괜찮으신가요?
고객 : 네~감사합니다.

코치 : 사랑의 하나님~ 고객님이 목표한 10kg 다이어트가 잘 되어서 더욱 건강
　　　하게 하시고 삶에 제2의 도약이 있게 되기를 소망합니다. 특별히, 하나
　　　님을 구주로 영접하여 삶과 가정이 더욱 번창하고 자손이 잘되는 축복
　　　이 넘치시기를 예수님 이름으로 기도합니다~아멘.
고객 : 기도해 주신 것 너무 감사합니다.

코치 : 코칭을 마쳐도 될까요?
고객 : 네. 열정적인 코칭에 감사드립니다.

제8장 종합실습

내가 네게 명한 것이 아니냐 마음을 강하게 하고 담대히 하라

두려워 말며 놀라지 말라 네가 어디로 가든지

네 하나님 여호와가 너와 함께 하느니라

(여호수아 1:9)

코칭은 이해한 것을 직접 해보면서 몸으로 체화하는 것이 필요하다. 본 KAC 기본과정은 코칭 프로세스를 익히는 것이다. 뼈대를 만드는 작업이다. 이것을 넘어서면 뼈대에 살을 입히는 작업이 있다. 이것이 KPC 프로코치로 가는 길이다. 한번에 모든 것을 뛰어넘을 수 없다. Step by Step으로 쌓아나가는 것이다. 즉. **코칭을 삶의 습관으로 만들어서 무의식적으로 할 수 있도록 하는 것이 중요하다.** 그러면 어떤 상황에서든지 자연스럽게 코칭을 할 수 있게 된다.

종합실습은 이해하여 알고 있는 것을, 코칭을 실제 할 수 있는 수준까지 배우는 것이다. 제대로 할 수 있는 수준까지 가기 위해서는 지속적인 실습과 상위 코치의 피드백(코더코, 슈퍼비전)이 필요하다.

본 연습은 이미 배운 **STIGMA 코칭모델**을 참고하여 단계별 질문을 작성하고 2인 1조로 코칭한다. 교회와 삶의 현장에서 사역하거나 일하면서 코칭한다.

성령님의 임재하심으로 고객(성도)이 사역에 몰입하게 된다. 그리하면 교인 간에 합해서 선을 이루게 되고 교회는 질적 부흥이 이뤄지게 되고 전도 등 성과가 창출되며, 성도는 아론과 훌의 역할로, 교역자는 예수님과 같은 코치의 역할로 운영하게 된다. 다음과 같이 주어진 예시를 가지고 실습한다.

1) 파트너가 상의하여 A, B를 정한다.
2) 코칭 예시를 숙지하고, STIGMA 코칭 단계별 질문지를 만든다. (15분)
   (STIGMA 코칭 질문리스트 참고하여 자신의 질문지를 작성)
3) A가 먼저 코치 역할을 하고 B는 고객의 역할을 수행한다.
4) A가 STIGMA 코칭을 20분간 진행하고 B는 고객이 되어서 코칭에 참여한다.
5) 코칭이 종료되면, 역할을 바꾸어서 3, 4를 수행한다.
6) 두 사람이 각각 STIGMA 코칭 실습을 한 후 5분간 서로 소감과 피드백한다.
7) 코칭을 할 때 자신의 스마트폰으로 녹음한다.

출처 Freepik

[손천사 집사가 처해 있는 상황을 읽어보고 단계 질문을 작성해 보세요]

손천사 집사는 이전 교회에서 겪은 깊은 상처로 인해 심리적인 트라우마를 겪고 있다. 이로 인해 새로운 교회 생활에도 불구하고, 교인들과 깊은 교제를 망설이고 있으며, 교회 생활에 완전히 녹아들지 못하고 있는 상황이다. 손집사의 현재 상태와 행동 패턴을 자세히 살펴보면 다음과 같은 문제와 가능성이 있다.

1) 심리적 문제:

이전 교회에서의 부정적 경험은 손집사에게 깊은 내상을 남겼으며, 이것이 트라우마로 작용하여 사람들과의 교제를 회피하게 만들고 있다.
새로운 교회에서도 이전의 상처가 그림자처럼 손집사를 따라다니며, 그녀가 신앙 공동체 내에서 건강한 관계를 형성하는 데 큰 장애가 되고 있다.

2) 교회 생활의 적응 문제

손집사는 주일 예배에 참석하긴 하지만, 목사님의 설교를 듣고 나서 바로 교회를 떠나는 행동을 반복하고 있어, 교회 공동체와의 교류가 사실상 없는 상태이다. 이러한 행동은 손집사가 새로운 교회에 정착하고 소속감을 느끼는 데 필수적인, 교인들과의 교제와 관계 형성을 어렵게 만들고 있다.

3) 앞으로의 가능성:

만약 손집사가 현재의 심리적 장벽을 극복하지 못하고 상황이 개선되지 않는다면, 그녀는 옮긴 교회에서도 적응하지 못하고 떠날 수 있다는 위험이 있다. 손집사에게 필요한 것은 내적인 치유와 회복이며, 이를 통해 이전의 상처에서 벗어나 교회 생활에 적극적으로 참여하고, 교인들과의 건강한 관계를 형성할 수 있는 긍정적인 변화가 요구된다.

[코칭 단계별 질문 작성하기]

Step 1. Step Back

- 코치 윤리실천, 코칭마인드셋(자기안식, 자기관리)구축
- 코칭 전 코칭계약합의

- 조용한 장소
  - 교회 기도실
  - 휴식공간
  - 조용한 회의실
  - 외부 까페

- 몸과 마음 릴렉스
  - 눈을 감고 호흡묵상기도

코칭전 시행여부 확인

Step 2. Talking Point & Trust

- **라포(신뢰형성)**

  - 한 주간 동안 하나님의 은혜를 경험하신 것 있으면 한가지 나눠주시겠어요?
  - 한 주간 동안 의미 있거나 기억에 남는 일 있으면 한가지 나눠주시겠어요?
  - 이번 주에 당신을 가장 만족하게 만든 성취는 무엇이었나요?
  - 요새 어떤 일에 가장 관심이 있으신가요?

- **주제합의 , 명확화, 코칭 목표 결정**

  - 오늘 대화는 OO분 정도 가능한데 괜찮으신가요?
  - 오늘 어떤 주제(이슈)로 이야기를 나누고 싶으신가요?
  - 이 주제를 선택하신 이유나 계기가 있다면 무엇입니까?
  - 오늘 대화가 끝났을 때 어떤 상태가 되면 만족스러울까요?
  - 하나님께서 당신만을 위한 계획이 있다면 무엇일까요?
  - 그것은 당신의 삶에서 어떤 의미입니까?
  - 지금 이 시간 해결해야 할 코칭 목표를 초점을 맞추어 정리해 주시겠습니까?
  - 하나님은 그 목표를 어떻게 생각하실까요?

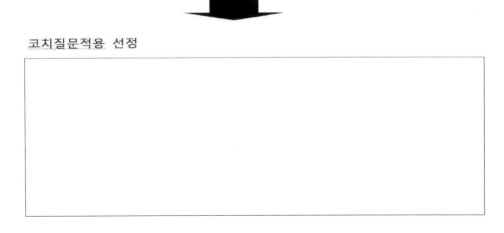

코치질문적용 선정

Step 3. Inspiration(靈感)

[현실 확인]
- 현재 상황은 어떤 상태인가요?
- 지금 어떤 일이 일어나고 있는지요?
- 목표를 해결하는 데 가로막는 걸림돌은 무엇인지요?
- 제 삼자의 입장에서 생각해 볼 수 있을까요?
- 하나님이 이 상황에 대하여 어떤 말을 할 것 같은지요?
- 목표를 이루기 위해 가장 중요한 것은 무엇일까요?
- 만약 3년 후의 모습이 지금 당장 이루어졌다면 어떤 상태일까요?
- 지금 문제가 이대로 지속한다면 1년 후 당신은 어떤 상태일까요?
- 당신이 지금 하나님 외에 의지하고 있는 것이 있다면 무엇입니까?
- 하나님께서는 당신이 지금 어디에 있기를 원하실까요?

[가치와 의도 확인]
- 그렇게 행동할 때 어떤 생각들이 일어나고 있는지?
- 지금 당신의 감정은 어떤지요?
- 그런 감정은 어떤 것으로 인하여 만들어졌는지요?
- 당신의 의도는 무엇인지?
- 지금 하는 행동이 자신의 의도에 부합하는지?
- 당신의 신념과 가치가 지금의 상황에 적합한지?
- 삶에서 어떤 것을 중요하게 생각하는지요?
- 하나님은 당신을 어떻게 변화시키기를 원하십니까?
- 지금 당신이 잃고 있는 것, 간과하고 있는 것은 무엇인가요?
- 당신은 힘든 순간을 어떻게 이겨내셨나요?

[자원탐색]
- 이전에 이런 상황을 멋지게 해결한 유사한 경험이 있다면 무엇인지요?
- 그때 해낼 수 있었던 고객님의 탁월성, 강점은 무엇일까요?
- 하나님께서 당신에게 주신 능력 중에서 가장 잘할 수 있는 한 가지는 무엇입니까?
- 목표를 해결하기 위하여 주변에 필요한 자원이 있다면?
- 지금 찾으신 강점과 자원을 오늘의 코칭 목표에 적용하신다면 어떤 것을 해볼 수 있을까요?

코칭 질문적용 선정

Step 4. Growth in mind

[알아차림}

- 지금까지 대화에서 새롭게 인식한 것이나 알아차린 것이 있다면?

- 내가(코치) 알게 된 것, 자각된 것을 나누어도 될까요? (피드백)

- 코칭하면서 깨달은 점을 나누어도 될까요? (피드백)

[대안 탐색]

- 그것을 위해서 해보고 싶은 것이 있다면 무엇입니까? 또 있다면?

- 지금까지 시도해 보지 않았던 새로운 방안이 있다면 무엇일까요?

- 현재 상황을 변화시키기 위해 당신이 할 수 있는 것은 무엇입니까?

- 당신에게 시간 /예산 / 이 충분히 주어진다면 어떻게 하겠습니까?

[대안 결정]

- 대안중에서 가장 시급한(효과적인, 적합한) 것을 선택한다면 무엇입니까?

- 하나님이 함께하신다면 실행하고 싶은 것은 무엇입니까?

코칭 질문적용 확인

Step 5. Meditate

[호흡 묵상 코칭하기]

□- 자세를 이 세상에서 제일 편안하게 **취하실 수 있나요?**□

- 깊은 호흡을 3번 정도 하면서 하나님께 묵상으로 나아갈텐데요.. 눈을 감아도 되고 떠도 됩니다. **가능하신가요?**

- 코로 들이마시고 입으로 내쉬면 됩니다. 숨을 들이마실 때 태초에 하나님이 인간에게 주신 생명과 능력의 기(氣), 온 우주의 기(氣)가 내 몸속 에 들어온다고 생각하며 깊게 들이마십시오□

- 숨을 내쉴 때는 나의 에너지가 온 세상에 퍼진다는 생각을 가지고 깊게 내쉽니다.

- 이때 호흡에 주의를 집중하면서 호흡과 함께 일어나는 몸의 반응, 즉 목의 움직임, 어깨의 움직임, 가슴의 움직임, 아랫배의 움직임을 알아차립니다. **괜찮으신가요?**

- 깊게 들어 마시고~~, 내쉬고~~ , 들이 마시고~~

- 마지막 깊게 내쉰 후 10초정도 하나님께 묵상으로 나아간다. (코치가 3번 호흡을 고객과 보조를 맞추면서 같이하면 좋다)

- 호흡 묵상을 한 이후에는 고객에게 상황에 따른 질문을 한다.
  - 지금 기분은 어떤지요?
  - 지금 마음 상태는 어떤지요?

코칭 질문적용 확인

Step 6. Action & Accountability(실행과 책무)

[실행계획수립]
- 언제 하실 것인지요?
- 구체적으로 어떻게 할 계획인지요?

[실행환경구측]
- 누구의 도움이 필요할까요?
- 당신을 돕기 위해서 내가 할 일은 무엇입니까?
- 이것이 잘되고 있다는 것을 스스로 어떻게 점검할 것인지요? (책무)
- 실행하는 것을 누구에게 이야기하면 실행력이 배가될까요? (책무)
- 실행 의지를 1~10으로 표현한다면 어느 정도입니까?
- 어느 것이 10점이 되지 못하게 만들까요?
- 그것을 실행하는데 예상되는 장애 요인이 있다면 무엇인지요?
- 어떤 마음으로 극복하시겠어요?
- 그것을 성공적으로 실행하는 데 무엇이 필요한지요?
- 오늘 ~ 목표를 가지고 진행했는데 어떠셨나요? (성공 척도질문)
  (오늘 ~점을 원하는 수준으로 하셨는데 지금은 ~점 정도가 되신 것 같으세요?)

[마무리]
- 지금 자신에게 어떤 이야기를 해주고 싶습니까?
- 오늘 코칭 대화에서 발견한 가장 중요한 감사는 무엇입니까?
- 마치기 전에 더 이야기하고 싶은 것이 있으신가요?
- 제가 당신의 발견한 감사와 목표를 위하여 기도하고 마쳐도 될까요?
- 코칭을 마쳐도 될까요?

코칭 질문적용 선정

스티그마 코칭 프로세스로 코칭을 해본다.

실습을 3인 1조로 진행한다. 코치(A), 고객(B), 관찰자(C)로서 역할을 해본다. 각자가 코치의 역할, 고객의 역할, 관찰자의 역할을 한 번씩 해본다. 그래서 총 3회의 실습을 진행한다. 만약 첫 번째 실습할 때 코치의 역할을 하였다면, 두 번째 실습할 때는 관찰자의 역할을 하고, 세 번째 실습할 때는 고객으로 역할을 한다. 관찰자는 코칭 피드백 양식에 따라 고객의 점수를 매겨본다.

출처 Freepik

1) 실습 시간 : 매회 25분(실습 20분, 피드백 5분), 3명/총 75분
2) 실습 운영 : 3명이 상의하여 A, B, C의 역할을 정한다.
   첫 번째로 20분간 코칭한 후 관찰자는 5분간 관찰한 결과를 피드백한다.
   두 번째 할 때 서로의 역할을 바꾼다. B는 A 역할, C는 B 역할, A는 C의 역할을 한다. 세 번째도 역할을 바꿔서 진행한다.
3) 시간 운영 : 관찰자는 20분 동안 실습을 할 때 시작하는 시간과 종료하는 시간을 알려준다. 특히 코칭실습 18분이 되었을 때 2분이 남았다는 것을 알려주어야 한다. 또한 피드백 시간도 5분이 경과 되지 않도록 진행해야 한다.
4) 실습 내용 녹음 : 각자의 스마트폰으로 실습과 피드백 내용을 녹음한다. 녹음된 내용은 조용하고 여유가 있는 시간에 들어본다.
5) 고객은 상황에 몰입하여 실제적인 역할을 할 수 있도록 노력해야 한다.

1) STIGMA 코칭 모델 질문

경청 질문	**S**tep back	- 코치 윤리실천 , 코칭마인스셋(자기인식, 자기관리) 구축, 코칭계약 - 코칭 전 마음다스리기를 위한 호흡묵상기도 - 조용한 장소 선정
	Talking point & **T**rust	■ **라포(신뢰쌓기)** - 반갑습니다. OOO 코치입니다. 고객님의 호칭을 어떻게 불러드릴까요? - 한주간 의미있거나 기억에 남았던 일이 있었다면 한가지 나눠주시겠어요? - 오늘 코칭 대화는 (사)한국코치협회 윤리규정에 따라 비밀을 지켜드립니다. 편하게 이야기 나누시면 됩니다. ■ **주제 합의, 명확화, 코칭목표설정** - 오늘 어떤 주제(이슈)로 이야기를 나누고 싶으신가요? - 이 주제를 선택하신 이유나 계기가 있다면 무엇입니까? - 이 주제는 당신의 삶에서 어떤 의미입니까? - 오늘 대화가 끝났을 때 어떤 상태가 되면 만족스러울까요? - 지금 이 시간 해결해야 할 코칭목표를 초점을 맞추어 한문장으로 정리해본다면?
피드백	**I**nspiration	■ **현재 상태** - 현재 상황은 어떤 상태인가요? - 이 목표를 해결하는데 가로막는 걸림돌은 무엇인지요? ■ **자원 탐색** - 이전에 이런상황을 멋지게 해결한 유사한 경험이 있다면? - 그때 해낼수 있었던 고객님의 탁월성이나 강점은? - 목표를 해결하기 위하여 주변에 필요한 자원이 있다면? - 목표가 해결된다면 1년후 하나님은 삶에 어떤 변화를 주실까요?
경청 질문	**G**rowth in mind	■ **대안 탐색** - 오늘 대화에서 새롭게 인식된 것이나 알아차린 것은? - 알아차린것을 바탕으로 코칭 목표와 관련하여 무엇을 해보시겠습니까? 또 있다면? 또 있다면? ■ **해결안 선정** - 무엇을 가장 먼저 해보고 싶으세요?
피드백	**M**editation	■ **호흡묵상기도** - 제일 편한자세를 취하세요, 눈을 감으셔도 됩니다. 3번 호흡하실텐데요 - (들숨)하나님이 주신 능력의 기, 우주의 기, (날숨) 나의 에너지가 온세상에 퍼짐 - 기분은 어떠신지요?
	Action	■ **실행 계획수립** - 언제 하실 것인지요? 구체적으로 어떻게 할 것인지요? ■ **실행 환경 구축** - 실행과정을 스스로 어떻게 점검하면 좋은지요? 누가 도와주면 좋을까요? ■ **마무리** - 오늘 코칭 대화에서 도움된 것은? 발견한 감사는? 자신에게 응원의 한마디? - 고객님의 발견함 감사와 목표를 위하여 기도하고 마쳐도 될까요?

2) 코칭 피드백 양식

구분	피드백 내용	점수
코칭 세션 운영	1. (사)한국코치협회 윤리규정(비밀규정)을 언급하였다.	
	2. 코칭세션 시작의 동의를 구하고, 종료할 때 기도하고 마쳐도 되는지 동의를 구하였다	
	3. 코칭세션 시간 운영을 잘하였다. (15분~20분 사이)	
	4. 전체 코칭 세션을 프로세스에 따라 자신감 있게 운영하였다	
전문 계발	5. 코칭 주제를 합의하고 주제를 명확화, 목표를 결정하였다.	
	6. 코칭세션을 마무리하면서 코칭 성과를 확인하였다.	
관계 구축	7. 고객을 수평적인 관계로서 존재를 인정하며 대하였다.	
	8. 고객과 라포를 형성하여 신뢰를 구축하고 편안한 코칭 환경 을 유지하였다.	
	9. 고객에게 인정, 칭찬, 지지, 격려 등의 언어를 사용하였다.	
적극 경청	10. 고객과 맞장구치는 등 보조를 맞추어(Pacing) 진행하였다.	
	11. 고객의 말의 주요 단어를 반영하여 질문하였다.	
	12. 고객의 생각이나 감정에 공감하며 고객에게 표현하였다.	
	13. 고객이 자신의 생각, 감정을 표현하도록 도왔다.	
의식 확장	14. 긍정적, 중립적 언어로 개방적 질문을 하고 닫힌질문을 하 지 않았다.	
	15. 고객의 상황과 특성에 따라 침묵, 쉼표(완급조절), 은유, 비유 등 다양한 기법을 활용하였다.	
	16. 고객의 말에서 의미를 확장하거나 고객의 말을 구체화 또 는 명료화하는 질문을 하였다.	
	17. 고객이 알아차림이나 통찰하도록 질문하였다.	
성장 지원	18. 고객이 실행계획을 세우도록 도왔다	
	19. 고객이 스스로 실행점검을 하는지를 도왔다	
	20. 고객의 변화와 성장을 축하하고 기도하고 코칭을 마쳤다.	
	합계	

※ 점수 배정 : 20문항 각 5점 척도
   매우 잘한다(5점), 매우 못한다(1), 언급조차 하지 않았다 (0점).
※ KAC 합격 점수 : 60점 이상

제9장 과정정리

네 시작은 미약하였으나

네 나중은 심히 창대하리라

(욥기8:7)

코칭은 학문이다. 탁월한 코치역량을 갖추기 위해서 이 책을 읽고 배운 것을 정리하고 도전주제에 대한 실행 가능성을 확인해보며 최종코칭성과보고서를 작성하고 공부한 코치들이 서로 발표·공유한다.

1 배운 내용 정리와 피드백하기

(1) 배운 것의 주요 제목과 핵심내용을 A4에 요약정리하고 상호 핵심부분을 설명하고 피드백해주기

_____

_____

(1) 배운내용을 정리한 것 중에서 도전주제와 행동목표를 적어본다

< 도전주제 > _____

< 행동목표 >

- _____
- _____

(1) 코칭에서 변화 가능성을 확인하는 방법인 **DVP (Dissatisfaction/vision / Plan)방법**이 있는데 이 개념은 보스턴 경영대학원의 리처드 베커와 루벤해리스의 변화방정식에서 출발한 것으로 하버드 경영대학원 AMP 과정에서도 사용하고 있다.

이것은 고객의 정리된 도전주제와 행동목표를 D*V*P 지수를 작성해 보고 목표의 실행 및 변화가 가능한지를 확인한다

아래 괄호 안의 내용과 같이 보통 70% 이상이면 코칭목표의 실행과 변화 가능성이 크다고 보며 D*V*P 3개의 지수가 각 9점 이상이어야 가능하다, 70% 이하이면 D, V, P 수치를 올릴 방법을 코칭한다. 이것은 **코칭 이후 고객이 반드시 실천해야 하는 책무를 확인하고 성공적 코칭이 되기 위한 좋은 마무리 방안**이다.

(D x V x P) / 1000 > 70% : 목표의 실행, 변화 가능

- D (Dissatisfaction, Desire) : 10점 만점에 몇 점?

  - 나는 얼마나 위기의식을 느끼며 목표에 대한 열정을 가지고 있는가?

  ▶현재 이슈(주제)에 대한 불만족

  ▶그 이슈를 해결하지 않으면 안 된다는 위기의식

  ▶이것들을 해결하고 목표를 달성하고자 하는 열망 정도

- V (Vision) : 10점 만점에 몇 점?

  - 이루고자 하는 것에 대한 비전과 목표의식은 얼마나 되는가?

  ▶그 이슈(주제)에 대해 원하는 비전, 결과물

  ▶성취된 상태 혹은 모습

  ▶이러한 것을 이룰 수 있다는 믿음의 정도

- P (Plan): 10점 만점에 몇 점?

  - 실행계획은 얼마나 완벽하게 준비되어 있는가?

  ▶목표를 성취하려는 방법과 계획이 구체화 되어 있는 정도

(2) 양식

나의 도전주제와 행동목표에 대한 성취 가능성 확인해보기

도전주제 : _____

< 행동목표 >
- _____

D (Dissatisfaction, Desire) : (　　　　) / 10점
V (Vision) : (　　　) / 10점
P (Plan) : (　　　) / 10점

DVP= (D:　　) * (V:　　) * (P :　　) / 1000 = (　　)%

* (D x V x P) / 1000 > 70 % : 실행, 변화 가능성 있음.

(3) 다음은 **예시를 정리**하였다. 배운 것의 제목과 간략한 내용 정리를 바탕으로 도전주제 및 행동목표를 A4 지에 작성하고 DVP를 작성한다.

1. 도전주제 및 행동목표 작성

<도전주제>
- 셀모임에서 상대방의 말에 공감하고 경청한다.
- STIGMA 코칭으로 좋은 행동습관을 만들어 간다.
- 코치 자격을 취득한다.

<행동목표>
- . 구성원들을 배려하고 인정, 존중하는 표현을 한다.
- 성경의 질문을 탐구하여 지속적인 성찰이 있도록 한다.
- . 코치 자격 취득을 위해 코칭실습에 매진한다.

2. 실행, 변화 가능성을 DVP로 확인하기
- D (Dissatisfaction, Desire) : (9점) / 10점
- V (Vision) : (8점) / 10점
- P (Plan) : (8점) / 10점

DVP= (D: 9) * (V: 8) * (P : 8) / 1000 = 57.6 %

위 결과 57.6%로 70% 미만이므로 70%이상이 되려면 V 나 P가 9점이상이 되어야 한다. 그러므로 9점이 되려면 어떤 부분을 보완해야하는지 서로 코칭하여야 한다.

(1) DVP가 70% 미만인 사람은 도전주제와 행동목표 중에서 D, V, P 중 부족부분을 보완하여 성공하려면 어떻게 해야하는지 등 구체적 행동계획이 도출되도록 코칭한다.

(2) DVP가 70% 이상이 되는 사람은 가장 실행하고 싶은 도전주제 및 목표 하나를 선택하게 하여 반드시 성공할 수 있도록 구체적 행동계획이 명료화되도록 서로 코칭한다.

5 최종 코칭성과보고서 작성 및 공유하기

위 에서 정리한 도전주제와 실행계획과 이번 교육에서 축하/배움/다짐을 최종 코칭 성과보고서(양식1 참고)에 정리하고 실행수준을 스스로 평가하여 그룹원에게 발표, 공유한다. 그리고 전체가 인정과 격려해 주고 변화와 성장을 위하여 박수쳐 준다.

> ※ **최종코칭성과보고서 작성시, 코칭시작 및 과정에서 작성한 <u>과정목표관리</u>(양식2 참고)결과물인 과정목표, 집중개발부분의 실행수준평가를 그대로 입력한다**

.

최종코칭 성과보고서(양식1)

구분		고객명	코치명		
성명					
소속			작성일		
과정목표			실행수준평가(7점척도)		
			시작	목표	달성도(%)
집중개발부분	1		실행수준평가(7점척도)		
			시작	목표	달성도(%)
	2		실행수준평가(7점척도)		
			시작	목표	달성도(%)
향후 도전주제 및 실행계획		도전주제: 실행계획:			
이번교육에서 축하할일 /배움/ 다짐		축하:			
		배움:			
		다짐:			

※ 최종 작성하여 발표후 코치에게 제출하면 수료

과정목표관리(양식 2)

구분	내용	실행수준(7점 척도)		
		시작	목표	달성도(%)
괴정목표				
집중개발 영역	1.			
	2.			

※ 과정목표: 이번 과정이 끝났을 때 어떤 모습이기를 원하는가요?

※ 집중개발영역: 과정목표를 달성하기위해 무엇을 집중해서 개발하기 를 원하나요?

구분	기대하는 것	달성 도(%)	기대외에 새롭게 얻은 것	실천해야 할것
1 회기				
2 회기				
3 회기				
4 회기				
5 회기				
6 회기				
7 회기				
8 회기	※ 최종코칭성과보고서로 갈음			

※ 1~7회기 교육후 스스로 점검하고 작성하기

크리스천 코칭

부 록

부록 1. 코치의 선서

코치의 선서

나는 한국코치협회 인증코치로서 코치다운 태도와 코치다운 실행의 삶을
산다

하나, 나는 모든사람의 무한한 잠재력을 믿고 존중한다

하나, 나는 고객의 변화와 선정을 돕기위해 헌신한다

하나, 나는 공공의 이익을 중시하여 조직, 기관, 단다체와 협력한다.

하나, 나는 협회의 윤리규정을 준수하여 협회와 코치의 명예를 지킨다

부록 2. 코치 윤리규정

제정 2003.06.01
개정 2011.12.23
개정 2023.06.14.

윤리강령

1. 코치는 개인적인 차원뿐 아니라 공공과 사회의 이익도 우선으로 합니다.

2. 코치는 승승의 원칙에 의거하여 개인, 조직, 기관, 단체와 협력합니다.

3. 코치는 지속적인 성장을 위해 학습합니다.

4. 코치는 신의 성실성의 원칙에 의거하여 행동합니다.

윤리규칙

제 1 장 기본윤리

제 1 조 (사명)

1. 코치는 한국코치협회의 윤리규정에 준거하여 행동합니다.

2. 코치는 코칭이 고객의 존재, 삶, 성공, 그리고 행복과 연결되어 있음을 인지합니다.

3. 코치는 고객의 잠재력을 극대화하고 최상의 가치를 실현하도록 돕기 위해 부단한 자기성찰과 끊임없이 공부하는 평생학습자(life learner)가 되어야 합니다.

4. 코치는 자신의 전문분야와 삶에 있어서 고객의 Role 모델이 되어야 합니다.

제 2 조 (외국윤리의 준수]

코치는 국제적인 활동을 함에 있어 외국의 코치 윤리규정도 존중하여야 합니다.

제 2 장 코칭에 관한 윤리

제 3 조 (코칭 안내 및 홍보)

1. 코치는 코칭에 대한 전반적인 이해나 지지를 해치는 행위는 일절 하지 않습니다.
2. 코치는 코치와 코치단체의 명예와 신용을 해치는 행위를 하지 않습니다. .
3. 코치는 고객에게 코칭을 통해 얻을 수 있는 성과에 대해서 의도적으로 과장하거나 축소하는 등의 부당한 주장을 하지 않습니다.
4. 코치는 자신의 경력, 실적, 역량, 개발 프로그램 등에 관하여 과대하게 선전하거나 광고하지 않습니다.

제 4 조 (접근법)

1. 코치는 다양한 코칭 접근법(approach)을 존중합니다. 코치는 다른 사람들의 노력이나 공헌을 존중합니다.
2. 코치는 고객이 자신 이외의 코치 또는 다른 접근 방법(심리치료, 컨설팅 등)이 더 유효하다고 판단 되어질 때 고객과 상의하고 변경을 실시하도록 촉구합니다.

제 5 조 (코칭 연구)

1. 코치는 전문적 능력에 근거하며 과학적 기준의 범위 내에서 연구를 실시하고 보고합니다.
2. 코치는 연구를 실시할 때 관계자로부터 허가 또는 동의를 얻은 후 모든 불이익으로부터 참가자가 보호되는 형태로 연구를 실시합니다.
3. 코치는 우리나라의 법률에 준거해 연구합니다.

제 3 장 직무에 대한 윤리

제 6 조 (성실의무)

1. 코치는 고객에게 항상 친절하고 최선을 다하며 성실하여야 합니다.

2. 코치는 자신의 능력, 기술, 경험을 정확하게 인식합니다.

3. 코치는 업무에 지장을 주는 개인적인 문제를 인식하도록 노력합니다. 필요할 경우 코칭의 일시 중단 또는 종료가 적절할지 등을 결정하고 고객과 협의합니다.

4. 코치는 고객의 모든 결정을 존중합니다.

제 7 조 (시작 전 확인)

1. 코치는 최초의 세션 이전에 코칭의 본질, 비밀을 지킬 의무의 범위, 지불 조건 및 그 외의 코칭 계약 조건을 이해하도록 설명합니다.

2. 코치는 고객이 어느 시점에서도 코칭을 종료할 수 있는 권리가 있음을 알립니다.

제 8 조 (직무)

1. 코치는 고객, 혹은 고객 후보자에게 오해를 부를 우려가 있는 정보전달이나 충고를 하지않습니다.

2. 코치는 고객과 부적절한 거래 관계를 가지지 않으며 개인적, 직업적, 금전적인 이익을 위해 의도적으로 이용하지 않습니다.

3. 코치는 고객이 고객 스스로나 타인에게 위험을 미칠 의사를 분명히 했을 경우 한국코치협회 윤리위원회에 전달하고 필요한 절차를 취합니다.

제 4 장 고객에 대한 윤리

제 9 조 (비밀의 의무)

1. 코치는 법이 요구하는 경우를 제외하고 고객의 정보에 대한 비밀을 지킵니다.

2. 코치는 고객의 이름이나 그 외의 고객 특정 정보를 공개 또는 발표하기 전에 고객의 동의를 얻습니다.

3. 코치는 보수를 지불하는 사람에게 고객 정보를 전하기 전에 고객의 동의를 얻습니다.

4. 코치는 코칭의 실시에 관한 모든 작업 기록을 정확하게 작성, 보존, 보관합니다. 다만, 고객의 파기 요청이 있을 경우 즉시 파기하고 이를 고객에게 알려야 합니다.

5. 고객의 생명이나 사회의 안전을 심각하게 위협하는 경우가 발생할 우려가 있거나 발생한 경우에 한하여 고객의 동의 없이도 고객에 대한 정보를 관련 전문인이나 기관에 알릴 수 있습니다. 이런 경우 코칭 시작 전에 이러한 비밀보호의 한계를 알려줍니다.

제 10 조 (이해의 대립)

1. 코치는 자신과 고객의 이해가 대립되지 않게 노력합니다. 만일 이해의 대립이 생기거나 그 우려가 생겼을 경우, 코치는 그것을 고객에게 숨기지 않고 분명히 하며, 고객과 함께 좋은대처 방법을 찾기 위해 검토합니다.

2. 코치는 코칭 관계를 해치지 않는 범위 내에서 코칭 비용을 서비스, 물품 또는 다른 비금전적인 것으로 상호교환(barter)할 수 있습니다.

제 11 조 (성차별 및 성적 관계)

1. 코치는 고객과의 관계에 있어서 성차별적 표현이나 행동을 해서는 안됩니다.

2. 코치는 코칭을 목적으로 성립된 고객과 코칭이 진행되는 동안 사회적 통념의 윤리와 도덕 및 법률에 저촉되는 성적 관계를 가져서는 안됩니다.

부 칙 (2003.06.01)

제 1 조 (시행일) 이 규정은 협회 이사회의 의결을 거친 날부터 시행한다.

제 2 조 이 윤리규정에 언급되지 않은 사항은 한국코치협회 윤리위원회의 내규에 준한다.

[윤리규정에 대한 맹세]

나는 전문코치로서 (사)한국코치협회 윤리규정을 이해하고 다음의 내용에 준수합니다.

1. 코치는 개인적인 차원뿐 아니라 공공과 사회의 이익을 우선으로 합니다.
2. 코치는 승승의 원칙에 의거하여 개인, 조직, 기관, 단체와 협력합니다.
3. 코치는 지속적인 성장을 위해 학습합니다.
4. 코치는 신의 성실성의 원칙에 의거하여 행동합니다.

만일 내가 (사)한국코치협회의 윤리규정을 위반하였을 경우, (사)한국코치협회가 나에게 그 행동에 대한 책임을 물을 수 있다는 것에 동의하며, (사)한국코치협회 윤리위원회의 심의를 통해 법적인 조치 또는 (사)한국코치협회의 회원자격, 인증코치자격이 취소될 수 있음을 분명히 인지하고 있다.

크리스천 코칭

부록 3. (사)한국코치협회 코칭역량

2021년 11월에 (사)한국코치협회에서 기존의 11가지 핵심역량 모델을 8가지 핵심역량 모델로 개정하였다. 2022년부터 코치들의 코칭 역량 개발 교육과 자격 심사에 적용하고 있다.

KCA 코칭 역량 모델

- 형상: 마치(Coach)의 수레바퀴(Wheel) 상징
- 색상: 코치다움은 나무와 뿌리(고동색 계열) 상징
  코칭다움은 나무(고동색 계열)의 잎(초록색 계열) 상징

KCA 코칭 역량-코치다움

역량군	역량	정의	핵심요소	행동지표
코치다움	1.윤리 실천	(사)한국코치협회에서 규정한 기본 윤리, 코칭에 대한 윤리, 직무에 대한 윤리, 고객에 대한 윤리를 준수하고 실천한다.	1.기본 윤리	1.코치는 기본 윤리를 준수하고 실천한다.
			2.코칭에 대한 윤리	2.코치는 코칭에 대한 윤리를 준수하고 실천한다.
			3.직무에 대한 윤리	3.코치는 직무에 대한 윤리를 준수하고 실천한다.
			4.고객에 대한 윤리	4.코치는 고객에 대한 윤리를 준수하고 실천한다.
	2.자기 인식	현재 상황에 대한 민감성을 유지하고 직관 및 성찰과 자기 평가를 통해 코치 자신의 존재감을 인식한다.	1.상황 민감성 유지	1.지금 여기의 생각, 감정, 욕구에 집중한다.
				2. 생각, 감정, 욕구가 발생하는 배경과 이유를 감각적으로 알아차린다.
			2.직관과 성찰	3.직관과 성찰을 통해 자신의 생각, 감정, 욕구가 미치는 영향을 인식한다
			3.자기 평가	4.자신의 특성, 강약점, 가정과 전제, 관점을 평가하고 수용한다.
			4.존재감 인식	5.자신의 존재를 인식하고 신뢰한다.
	3.자기 관리	신체적, 정신적, 정서적 안정 및 개방적, 긍정적, 중립적 태도를 유지하며 언행을 일치시킨다.	1.신체적, 정신적, 정서적 안정	1.코치는 코칭을 시작하기 전에 신체적, 정신적, 정서적 안정을 유지한다.
				2.코치는 다양한 코칭 상황에서 침착하게 대처한다.
			2.개방적, 긍정적, 중립적 태도	3. 코치는 솔직하고 개방적인 태도를 유지한다.
				4.코치는 긍정적인 태도를 유지한다.
				5.코치는 고객의 기준과 패턴에 대한 판단을 유보하고 중립적인 태도를 유지한다.
			3.언행일치	6.코치는 말과 행동을 일치시킨다.
	4.전문 계발	코칭 합의와 과정 관리 및 성과 관리를 하고 코칭에 필요한 관련 지식, 기술, 태도 등의 전문 역량을 계발한다.	1.코칭 합의	1.고객에게 코칭을 제안하고 협의한다.
				2.고객과 코칭 계약을 하고, 코칭 동의 및 코칭 목표를 합의한다.
			2.과정 관리	3.코칭 과정 전체를 관리하고 이해관계자를 포함한 고객과 소통한다.
			3.성과 관리	4.고객과 합의한 코칭 주제와 목표에 대한 성과를 관리한다.
			4.전문 역량 계발	5.코칭에 필요한 관련 지식, 기술, 태도 등의 전문 역량을 계발한다.

KCA 코칭 역량-코칭다움

역량군	역량	정의	핵심요소	행동지표
코칭다움	5.관계 구축	고객과의 수평적 파트너십을 기반으로 신뢰감과 안전감을 형성하며 고객의 존재를 인정하고 진솔함과 호기심을 유지한다.	1.수평적 파트너십	1.코치는 고객을 수평적인 관계로 인정하며 대한다.
			2.신뢰감과 안전감	2.고객과 라포를 형성하여 안전한 코칭 환경을 유지한다.
				3.고객에게 긍정 반응, 인정, 칭찬, 지지, 격려 등의 언어를 사용한다.
			3.존재 인정	4.고객의 특성, 정체성을, 스타일, 언어 패턴을 알아주고 코칭에 적용한다.
			4.진솔성	5.코치는 고객에게 자신의 생각, 느낌, 감정, 알지 못함, 취약성 등을 솔직하게 드러낸다.
			5.호기심	6.코치는 고객의 주제와 존재에 대해서 관심과 호기심을 유지한다.
	6.적극 경청	고객이 말한 것과 말하지 않은 것을 맥락적으로 이해하고 반영 및 공감하며, 고객 스스로 자신의 생각, 감정, 욕구, 의도를 표현하도록 돕는다.	1.맥락적 이해	1.고객이 말한 것과 말하지 않은 것을 맥락적으로 헤아려 듣고 표현한다.
			2.반영	2.눈 맞추기, 고개 끄덕이기, 등재 따라하기, 어조 높낮이 및 속도 맞추기, 추임새 등을 하면서 경청한다.
				3.고객의 말을 재진술, 요약하거나 직면하도록 듣는다.
			3.공감	4.고객의 생각이나 감정을 이해하며, 이해한 것을 고객에게 표현한다.
				5.고객의 의도나 욕구를 이해하며, 이해한 것을 고객에게 표현한다.
			4.고객의 표현 지원	6.고객이 자신의 생각, 감정, 의도, 욕구를 표현하도록 돕는다.
	7.의식 확장	질문, 기법 및 도구를 활용하여 고객의 의미 확장과 구체화, 통찰, 관점전환과 재구성, 가능성 확대를 돕는다.	1.질문	1.긍정적, 중립적 언어로 개방적 질문을 한다.
			2.기법과 도구 활용	2.고객의 상황과 특성에 따라 침묵, 은유, 비유 등 다양한 기법과 도구를 활용한다
			3.의미 확장과 구체화	3.고객의 말에서 의미를 확장하도록 돕는다.
				4.고객의 말을 구체화하거나 명료화하도록 돕는다.
			4.통찰	5.고객이 알아차림이나 통찰을 하도록 돕는다.
			5.관점 전환과 재구성	6.고객이 관점을 전환하거나 재구성하도록 돕는다.
			6.가능성 확대	7.고객의 상황, 경험, 사고, 가치, 신념, 정체성 등의 탐색을 통해 가능성 확대를 돕는다.
	8.성장 지원	고객의 학습과 통찰을 정체성과 통합하고, 자율성과 책임을 고려한다. 고객의 행동 전환을 지원하고, 실행 결과를 피드백하며 변화와 성장을 축하한다.	1.정체성과의 통합 지원	1.고객의 학습과 통찰을 자신의 가치관 및 정체성과 통합하도록 지원한다.
			2.자율성과 책임 고취	2.고객이 행동 설계 및 실행을 자율적이고 주도적으로 하도록 고취한다.
			3.행동 전환 지원	3.고객이 실행 계획을 실천할 수 있는 후원 환경을 만들도록 지원한다.
				4.고객이 행동 전환을 지속하도록 지지하고 격려한다.
			4.피드백	5.고객이 실행한 결과를 성찰하도록 돕고, 차기 실행에 반영하도록 지원한다.
			5.변화와 성장 축하	6.고객의 변화와 성장을 축하한다.

부록4 전문코치되기

KCA (사)한국코치협회
KOREA COACH ASSOCIATION

코치인증자격시험 KAC 세부사항 안내-

1. 코치인증자격시험 종류: **KAC** --> KPC --> KSC
2. 코치인증자격시험 응시분야
   ① ACPK 응시: 협회 ACPK 프로그램 교육이수 후 응시
      (협회홈페이지 [ACPK 프로그램 리스트]에서 **확인)**
   ②포트폴리오 응시: 협회 ACPK 프로그램 외 **코치육성** 목적 20시간 이상 단일 코칭프로그램 교육 이수 후 응시
3. 응시자격: KAC코치인증자격 응시 기준을 충족한 자
4. 코치인증자격 유지조건: (사)한국코치협회 정회원 (코치인증 자격 취득 후 협회 정회원가입 필수, 정회원 회비(20 만원) 발생)
5. 코치인증자격 기간: KAC-3 년, KPC / KSC-5 년 (각 코치인증자격은 기간 **만료** 전 자격갱신 필수)
6. 코치인증자격 갱신: 협회 홈페이지 참조
7. 기타응시: 협회 대학검증 프로그램 이수 대학생 KAC응시(협회 홈페이지-> 대학검증 프로그램 페이지 참조)
8. 응시서류에 대한 책임은 응시자에게 있으며, 부적격 사유가 발견된 경우는 합격 후 라도 취소될 수 있다.
9. **제출한 응시서류는 반환되지 않으며 반드시 본인이 관리한다.**

-코치인증자격시험 응시방법-

1. 시험단계: 서류전형 ---> 필기전형 --> 실기전형 --> 최종합격
2. 시험방법
   1)서류전형: 응시서류(협회 홈페이지 자료실 다운로드) 작성 후 우편제출 하며 응시료는 서류접수 기간 내
      납부한다.
      (서류접수 시 응시하는 기관을 반드시 확인 후 [KAC 기관 응시자]는 기관으로 서류제출 및 응시료 납부)
   ※ 서류접수 마지막일 **우체국** 빠른등기 소인까지 접수 인정한다.
   ※ **서류접수** 시점 최종 업데이트 된 서류를 다운받아 작성한다.
   2) 필기전형: 협회 홈페이지 온라인시험
   3) 실기전형: 델레(전화)시험

※ KAC 응시 경우 응시서류 제출 기관에 따라 협회 응시와 KAC 기관 응시로 분리되어 있다. KAC 기관으로 서류
제출한 응시자는 KAC 기관 응시자로 서류전형 과 실기전형을 KAC 기관에서 심사한다. (필기전형은 협회 홈페이지
온라인으로 진행)
※응시서류 제출 기관을 서류제출 전 반드시 확인한다. 미확인으로 받는 불이익은 본인에게 책임이 있다.

KAC(Korea Associate Coach) : 코치인증자격 1 단계 / 코칭교육 이수 후 응시 가능

1. 서류전형 (서류 종류 별 하단 설명)

서류종류	ACPK 지원	포트폴리오 지원
① 윤리규정준수 서약서	협회양식 작성	협회양식 작성
② 응시원서	협회양식 작성	협회양식 작성
③ 교육리스트	기초 20 시간 이상 이수 ※수료증사본 별도제출	20 시간 이상 이수 ※수료증사본 별도제출
④ 코칭일지	코칭시간 50 시간 이상	코칭시간 50 시간이상
⑤ 고객 추천서	고객 2 명에게 추천서 받기	고객 2 명에게 추천서 받기
⑥ 코치 추천서	KAC 이상 인증코치 2 명에게 추천서 받기	KAC 이상 인증코치 2 명에게 추천서 받기
⑦ 교육준수서약서	협회양식 작성	협회양식 작성
⑧ 개인정보수집 및 녹음 활용동의서	협회양식 작성	협회양식 작성
⑨ 코칭 테이프 제출	없음	음성파일 1 개 이메일 제출 (30 분 분량의 코칭 시연)
⑩ 응시료	20 만원(협회의무가입, 회비 20 만원 별도)	35 만원(협회의무가입, 회비 20 만원 별도)
필기시험	협회 온라인시험	협회 온라인시험
실기시험	텔레(전화)시험	텔레(전화)시험
코치인증자격기간	3 년 (갱신가능)	3 년 (갱신가능)
자격갱신 교육	KAC 자격 취득 후 협회 주관 교육 및 협회가 인정한 갱신교육, ACPK 프로그램 등의 교육을 3 년간 30 시간 이수 (협회홈페이지 참고) • KAC 자격 취득과 자격갱신 후에 받은 ACPK 프로그램에 한하여 자격갱신 교육 및 KPC 응시 시 교육시간으로 중복사용 가능	
의무사항	· 자격취득후 코치인증자격 유지를 위해 협회 정회원 가입 필수 및 정회원 유지 　※ 코치인증자격 시험 응시료 외 정회원 가입비(20 만원)가 추가 발생 　※ 정회원 유지 조건 1 년 마다 회비 납부 · 각 코치인증자격 취득, 자격갱신 후 자격갱신 교육 필수 　※ 자격갱신 시 갱신비 발생 3 년/3 만원	

① 윤리규정준수 서약서: 정독 후 직접 서명 또는 날인

② 응시원서: 작성 후 직접 서명 또는 날인

③ 교육리스트: 교육받은 코칭 교육시간을 작성한다. ACPK 응시자는 코칭 프로그램 ACPK 프로그램 중 기초 프로그램 20 시간 이상 필수 이수하여야 한다. 단, 현재 ACPK 프로그램으로 등록되어 있을지라도 프로그램 인증 시작일 이전과 만료일 후에 이수한 교육은 시험 응시 시 교육리스트 교육시간으로 적용되지 않는다 (•협회 홈페이지 ACPK 프로그램 리스트 참조)

※ "포트폴리오 응시"란 협회 인증을 받지 않았지만, 코치육성 목적인 20시간 이상의 단일 코칭 프로그램을 교육받은 후 응시하는 것을 말한다.

※ ACPK 프로그램 20시간 미만 이수한 경우 협회 월례세미나, 코칭컨퍼런스티벌(구 코치대회)시간을 참석 증빙서류 제출 시 5시간까지 인정받을 수 있다. 20시간 이상 이수자는 해당사항 없음. (증빙서류 요청: coach@kcoach.or.kr)

부록 5. 국제코칭연맹 코칭윤리 (ICF Code of Ethics)

    ICF 윤리강령은 모든 ICF 전문가를 위한 ICF 핵심가치, 윤리 원칙 및 윤리적 행동기준을 설명합니다. ICF는 2020년 1월 현재 코드 버전을 시행했습니다 (The ICF Code of Ethics describes the ICF core values, ethical principles and ethical standards of behavior for all ICF Professionals. ICF implemented the current version of the Code in January 2020.)

윤리강령은 5개의 주요 부분으로 구성됩니다.
(The International Coaching Federation (ICF) Code of Ethics is composed of five (5) main parts)

1. 도입(Instruction)

2. 핵심정의(Key Definitions)

3. ICF 핵심가치 및 윤리 원칙(ICF Core Values and Ethical Principles)

4. 윤리적 기준(Ethical Standards)

5. 서약(Pledge)

1. 도입(Instruction)

ICF 윤리강령은 국제 코칭 연맹 (ICF 핵심가치)의 핵심가치와 모든 ICF 전문가를 위한 윤리 원칙 및 행동 윤리 표준을 설명합니다 (정의 참조). 이러한 ICF 윤리적 행동기준을 충족하는 것이 ICF 핵심 코칭 역량 (ICF 핵심역량) 중 첫 번째입니다. 그것은 "윤리적 관행을 보여줍니다 : 코칭 윤리 및 표준을 이해하고 지속적으로 적용합니다." (The ICF Code of Ethics describes the core values of the International Coaching Federation (ICF Core Values), ethical principles and ethical standards of behavior for all ICF Professionals (see definitions). Meeting these ICF ethical standards of behavior is the first of the ICF core coaching competencies (ICF Core Competencies) - "Demonstrates ethical practice: understands and consistently applies coaching ethics and standards.")

ICF 윤리강령은 다음을 통해 ICF 및 글로벌 코칭 직업의 무결성을 유지합니다. (The ICF Code of Ethics serves to uphold the integrity of ICF and the global coaching profession by:)

- ICF 핵심가치 및 윤리 원칙에 부합하는 행동기준을 설정합니다. (Setting standards of conduct consistent with ICF Core Values and ethical principles.)

- 윤리적 성찰, 교육 및 의사 결정지도
  (Guiding ethical reflection, education and decision-making.

- ICF ECR (Ethical Conduct Review) 프로세스를 통해 ICF 코치 표준을 심사하고 보존합니다. (Adjudicating and preserving ICF coach standards through the ICF Ethical Conduct Review(ECR) process.)

- ICF 인증 프로그램에서 ICF 윤리 교육의 기초 제공
  (Providing the basis for ICF ethics training in ICF-accredited training programs.)

ICF 윤리강령은 ICF 전문가가 모든 종류의 코칭 관련 상호작용에서 자신을 대변 할 때 적용됩니다. 이는 코칭 관계 (정의 참조)가 설정되었는지 여부와 관계가 없습니다. 이 강령은 코치, 코치 감독자, 멘토 코치, 트레이너 또는 학생 교육 코치로서 다른 역할을 수행하거나 ICF 리더십 역할 및 지원 담당자 (정의 참조)로 봉사하는 ICF 전문가의 윤리적 의무를 설명합니다.

(The ICF Code of Ethics applies when ICF Professionals represent themselves as such, in any kind of coaching-related interaction. This is regardless of whether a coaching relationship (see definitions) has been established. This Code articulates the ethical obligations of ICF Professionals who are acting in their different roles as coach, coach supervisor, mentor coach, trainer or student coach-in-training, or serving in an ICF Leadership role, as well as Support Personnel (see definitions).)

윤리 행동 검토 (ECR) 프로세스는 서약과 마찬가지로 ICF 전문가에게만 적용되지만 ICF 직원은 이 ICF 윤리강령을 뒷받침하는 윤리 행동과 핵심가치 및 윤리 원칙에도 전념합니다.

(Although the Ethical Conduct Review (ECR) process is only applicable to ICF P rofessionals, as is the Pledge, the ICF Staff are also committed to ethical conduct and the Core Values and Ethical Principles that underpin this ICF code of ethics.)

윤리적으로 일한다는 도전은 회원들이 예상치 못한 문제에 대한 대응, 딜레마의 해결 및 문제에 대한 해결책이 필요한 상황에 필연적으로 직면하게 됨을 의미합니다. 이 윤리강령은 고려해야 할 다양한 윤리적 요소를 안내하고 윤리적 행동에 접근하는 대체 방법을 식별하는 데 도움을 줌으로써 강령 적용 대상자를 지원하기 위한 것입니다.

(The challenge of working ethically means that members will inevitably encounter situations that require responses to unexpected issues, resolution of dilemmas and solutions to problems. This Code of Ethics is intended to assist those persons subject to the Code by directing them to the variety of ethical factors that may need to be taken into consideration and helping to identify alternative ways of approaching ethical behavior.)

윤리 강령을 받아들이는 ICF 전문가들은 어려운 결정을 내리거나 용감하게 행동하는 경우에도 윤리적 행동을 취하기 위해 노력합니다.
(ICF Professionals who accept the Code of Ethics strive to be ethical, even when doing so involves making difficult decisions or acting courageously.)

2. 핵심 정의(Key Definitions)

- **"클라이언트"** – 코칭을 받는 개인 또는 팀 / 그룹, 멘토링 또는 수퍼비전을 받는 코치, 훈련을 받는 코치 또는 학생 코치.
  (Client – the individual or tea/group being coached, the coach being mentored or supervised, or the coach or the student coach being trained.)

- **"코칭"** – 고객의 개인적 및 직업적 잠재력을 극대화하도록 영감을 주는 생각을 자극하고 창의적인 프로세스에서 고객과 협력합니다.
  (Coaching– partnering with Clients in a thought-provoking and creative process that inspires them to maximize their personal and professional potential.)

- **"코칭 관계"** – ICF 전문가와 고객 / 후원자가 계약 또는 각 당사자의 책임과 기대를 정의하는 계약에 따라 설정한 관계
  (Coaching Relationship – a relationship that is established by the ICF Professional and the Client(s)/Sponsor(s) under an agreement or a contract that defines the responsibilities and expectations of each party.).

- **"규범"** –ICF 윤리강령
  (Code – ICF Code of Ethics)

- **"기밀성"**- 공개에 대한 동의가 주어지지 않는 한 코칭 참여와 관련하여 얻은 모든 정보의 보호
(Confidentiality - protection of any information obtained around the coaching engagement unless consent to release is given.).

- **"이해 상충"** - ICF 전문가가 여러 이해관계에 관여하는 상황으로, 하나의 이해를 제공하는 것이 다른 이해와 충돌하거나 충돌할 수 있습니다. 이것은 재정적, 개인적 또는 기타 일 수 있습니다.
(Conflict of Interest - a situation in which an ICF Professional is involved in multiple interests where serving one interest could work against or be in conflict with another. This could be financial, personal or otherwise.)

- **"평등"** - 인종, 민족, 출신 국가, 피부색, 성별, 성적 지향, 성 정체성, 연령, 종교, 이민 신분, 정신적 또는 신체적 장애에 관계없이 모든 사람들이 포용, 자원 및 기회에 대한 접근을 경험하는 상황 , 그리고 다른 인간의 차이 영역.
(Equality - a situation in which all people experience inclusion, access to resources and opportunity, regardless of their race, ethnicity, national origin, color, gender, sexual orientation, gender identity, age, religion, immigration status, mental or physical disability, and other areas of human difference.)

- **"ICF 전문가"** - 코치, 코치 감독자, 멘토 코치, 코치 트레이너 및 코칭 학생을 포함하되 이에 국한되지 않는 역할에서 ICF 회원 또는 ICF 자격 보유자로 자신을 대표하는 개인
(ICF Professional - individuals who represent themselves as an ICF Member or ICF Credential-holder, in roles including but not limited to Coach, Coach Supervisor, Mentor Coach, Coach Trainer and Student of Coaching)

- **"ICF 직원"** — ICF를 대신하여 전문적인 관리 및 행정 서비스를 제공하는 관리 회사와 계약 한 ICF 지원 직원
  (ICF Staff - the ICF support personnel who are contracted by the managing company that provides professional management and administrative services on behalf of ICF.).

- **"내부 코치"** -조직 내에서 고용되어 해당 조직의 직원을 파트타임 또는 풀타임으로 코치하는 개인.
  (Internal Coach - an individual who is employed within an organization and coaches either part-time or full-time the employees of that organization)

- **"후원자"** -제공할 코칭 서비스에 대한 비용을 지불 및 / 또는 주선하거나 정의하는 주체 (대표자 포함).
  (Sponsor - the entity (including its representatives) paying for and/or arranging or defining the coaching services to be provided.)

- **"지원 담당자"** -고객을 지원하기 위해 ICF 전문가를 위해 일하는 사람들.
  (Support Personnel - the people who work for ICF Professionals in support of their Clients.)

- **"체계적 평등"**- 공동체, 조직, 국가 및 사회의 윤리, 핵심가치, 정책, 구조 및 문화에 제도화된 성 평등, 인종 평등 및 기타 형태의 평등.
  (Systemic equality - gender equality, race equality and other forms of equality that are institutionalized in the ethics, core values, policies, structures, and cultures of communities, organizations, nations and society.)

3. ICF 핵심가치 및 윤리원칙
(ICF Core Values and Ethical Principles)

ICF 윤리강령은 ICF 핵심 가치 와 그로부터 나오는 행동을 기반으로 합니다. 모든 가치는 똑같이 중요하며 서로를 지원합니다. 이러한 값은 열망하는 것이며 표준을 이해하고 해석하는 방법으로 사용해야 합니다. 모든 ICF 전문가는 모든 상호작용에서 이러한 가치를 보여주고 전파해야 합니다.
(The ICF Code of Ethics is based on the ICF Core Values and the actions that flow from them. All values are equally important and support one another. These values are aspirational and should be used as a way to understand and interpret the standards. All ICF Professionals are expected to showcase and propagate these Values in all their interactions.)

ICF는 코칭이 우리의 번영을 돕는 데 전념할 때 세계에 대한 큰 희망을 가지고 있습니다. 우리는 각 회원 코치가 코치로서 하는 모든 일에 우리의 비전, 사명 및 핵심가치를 통합하여 채택하도록 초대합니다.
(ICF has high hopes for the world when coaching is integrally involved in helping us prosper. We invite each Member Coach to adopt our vision, mission and core values by integrating it to everything they do as a coach.)

[비전 선언문] Vision Statement
코칭은 번영하는 사회의 필수적인 부분이며 모든 ICF 회원은 최고 수준의 전문 코칭을 대표합니다. Coaching is an integral part of a thriving society and every ICF Member represents the highest quality of professional coaching.

[사명 선언문] Mission Statement
ICF는 코칭 직업의 글로벌 발전을 이끌고 코칭을 통해 세계를 강화하기 위해 존재합니다.
ICF exists to lead the global advancement of the coaching profession and empower the world through coaching.

[핵심가치] Core Values
우리는 신뢰성, 개방성, 수용 및 일치를 위해 최선을 다하고 있으며 ICF 커뮤니티의 모든 부분이 다음 가치를 유지하는 데 상호책임이 있다고 생각합니다.

We are committed to reliability, openness, acceptance and congruence and consider all parts of the ICF community mutually accountable to uphold the following values:

1) 성실성(Integrity) : 우리는 코칭 직업과 우리 조직 모두에 대해 최고의 기준을 유지합니다.

(We uphold the highest standards both for the coaching profession and our organization.)

2) 탁월성(Excellence) : 우리는 전문 코칭 품질, 자격 및 역량에 대한 탁월성의 표준을 설정하
입증합니다.

(We set and demonstrate standards of excellence for professional coaching quality, qualification and competence.)

3) 협업(Collaboration) : 우리는 협업 파트너십과 공동 창조 성과를 통해 발생하는 사회적 연결과 커뮤니티 구축을 중요하게 생각합니다.

(We value the social connection and community building that occurs through collaborative partnership and co-created achievement.)

4) 존중(Respect) : 우리는 포용적이며 글로벌 이해관계자의 다양성과 풍부함을 소중하게 생각합니다. 우리는 표준, 정책 및 품질을 손상시키지 않고 사람을 최우선으로 생각합니다.

(We are inclusive and value the diversity and richness of our global stakeholders. We put people first, without compromising standards, policies and quality.)

4. 윤리적 기준 (Ethical Standards)

ICF 전문가의 직업 활동에는 다음과 같은 윤리기준이 적용됩니다:

(The following ethical standards are applied to the professional activities of ICF Professionals:)

1) 섹션 I – 고객에 대한 책임(Section I - Responsibility to Clients)

ICF 전문가로서 나는 : (As an ICF Professional, I:)

(1) 초기 회의 전이나 회의에서 나의 코칭 고객 (들)과 스폰서 (들)가 코칭의 성격과 잠재적 가치, 기밀성, 재정적 조정의 한계 및 기타 코칭 계약 조건을 이해하고 있음을 설명하고 확인합니다.
(Explain and ensure that, prior to or at the initial meeting, my coaching Client(s) and Sponsor(s) understand the nature and potential value of coaching, the nature and limits of confidentiality, financial arrangements, and any other terms of the coaching agreement.)

(2) 서비스를 시작하기 전에 내 고객 (들) 및 스폰서 (들)과 관련된 모든 당사자의 역할, 책임 및 권리에 관한 계약 / 계약서를 작성합니다.
(Create an agreement / contract regarding the roles, responsibilities and rights of all parties involved with my Client(s) and Sponsor(s) prior to the commencement of services.)

(3) 합의한 대로 모든 당사자와 가장 엄격한 수준의 기밀을 유지합니다. 나는 개인 데이터 및 통신과 관련된 모든 관련 법률을 알고 있으며 지킬 것에 동의합니다.
(Maintain the strictest levels of confidentiality with all parties as agreed upon. I am aware of and agree to comply with all applicable laws that pertain to personal data and communications.)

(4) 모든 코칭 상호작용 중에 관련된 모든 당사자 간에 정보가 교환되는 방식에 대해 명확하게 이해합니다
(Have a clear understanding about how information is exchanged among all parties involved during all coaching interactions.).

(5) 정보가 기밀로 유지되지 않는 조건 (예 : 유효한 법원 명령 또는 소환장에 따라 법에서 요구하는 경우 불법 활동, 임박한 또는 잠재적 위험)에 대해 고객 및 후원자 또는 이해관계자와 명확하게 이해해야 합니다. 자신 또는 다른 사람에게 등). 위 상황 중 하나가 적용 가능하다고 합리적으로 생각하는 경우 관련 당국에

알려야 할 수 있습니다.

(Have a clear understanding with both Clients and Sponsors or interested parties about the conditions under which information will not be kept confidential (e.g., illegal activity, if required by law, pursuant to valid court order or subpoena; imminent of likely risk of danger to self or others; etc.). Where I reasonably believe one of the above circumstances is applicable, I may need to inform appropriate authorities.)

(6) 내부 코치로 일할 때 코칭 계약 및 지속적인 대화를 통해 내 코칭 고객 및 스폰서와의 이해 상충 또는 잠재적 이해 상충을 관리합니다. 여기에는 조직의 역할, 책임, 관계, 기록, 기밀성 및 기타 보고요건을 다루는 것이 포함되어야 합니다.

(When working as an Internal Coach, manage conflicts of interest or potential conflicts of interest with my coaching Client(s) and Sponsor(s) through coaching agreement(s) and ongoing dialogue. This should include addressing organizational roles, responsibilities, relationships, records, confidentiality and other reporting requirements.)

(7) 기밀성, 보안 및 개인 정보 보호를 장려하고 관련 법률 및 계약을 준수하는 방식으로 업무상 상호작용 중에 생성된 전자 파일 및 통신을 포함한 모든 기록을 유지, 저장 및 폐기합니다. 또한, 코칭 서비스 (기술 지원 코칭 서비스)에 사용되는 새로운 기술을 적절하게 활용하고 다양한 윤리 표준이 적용되는 방식을 인지하고 있어야 합니다.

(Maintain, store and dispose of any records, including electronic files and communications, created during my professional interactions in a manner that promotes confidentiality, security and privacy, and complies with any applicable laws and agreements. Furthermore, I see to make proper use of emerging and growing technological developments that are being used in coaching services (technology-assisted coaching services) and to be aware of how various ethical standards apply to them.)

(8) 코칭 관계로부터 받은 가치에 변화가 있을 수 있다는 표시에 주의를 기울이십시오. 그렇다면 관계를 변경하거나 고객 / 후원자가 다른 코치를 찾거나 다른 전문가를 찾거나 다른 리소스를 사용하도록 권장하십시오.

(Remain alert to indications that there might be a shift in the value received from the coaching relationship. If so, make a change in the relationship or encourage the Client(s) / Sponsor(s) to seek another coach, seek another professional or use a different resource.)

(9) 계약 조항에 따라 코칭 과정 중 어떤 이유로든 어떤 시점에서든 코칭 관계를 종료할 수 있는 모든 당사자의 권리를 존중합니다.
(Respect all parties' right to terminate the coaching relationship at any point for any reason during the coaching process subject to the provisions of the agreement.)

(10) 이해 상충 상황을 피하려고 같은 고객 및 스폰서와 동시에 여러 계약 및 관계를 맺는 것의 의미에 민감합니다.
(Am sensitive to the implications of having multiple contracts and relationships with the same Client(s) and Sponsor(s) at the same time in order to avoid conflict of interest situations.)

(11) 문화적, 관계적, 심리적 또는 맥락적 문제로 인해 발생할 수 있는 고객과 본인 간의 권한 또는 지위 차이를 인지하고 적극적으로 관리합니다.
(Am aware of an actively manage any power or status difference between the Client and me that may be caused by cultural, relational, psychological or contextual issues.)

(12) 내 고객에게 잠재적인 보상 수령 및 내 고객을 3자에게 추천함으로써 받을 수 있는 기타 혜택을 공개합니다
(Disclose to my Clients the potential receipt of compensation and other benefits I may receive for referring my Clients to third parties.).

(13) 어떤 관계에서든 합의된 보상의 양이나 형태에 상관없이 일관된 코칭 품질을 보장합니다.
(Assure consistent quality of coaching regardless of the amount or form of agreed compensation in any relationship.)

2) 섹션 II– 실무 및 수행에 대한 책임
(Section II - Responsibility to Practice and Performance)

ICF 전문가로서 저는 : (As an ICF Professional, I :)

(14) 모든 상호작용에서 ICF 윤리강령을 준수합니다. 내가 스스로 강령 위반 가능성을 알게 되거나 다른 ICF 전문가의 비 윤리적 행동을 인지하면 관련자들과 함께 문제를 정중하게 제기합니다. 이 방법으로 문제가 해결되지 않으면 공식 기관 (예 : ICF Global)에 문의하여 해결합니다.
(Adhere to the ICF Code of Ethics in all my interactions. When I become aware of a possible breach of the Code by myself or I recognize unethical behavior in another ICF Professional, I respectfully raise the matter with those involved. If this does not resolve the matter, I refer to a formal authority (e.g., ICF Staff) for resolution.)

(15) 모든 지원 담당자는 ICF 윤리강령을 준수해야 합니다.
(Require adherence to the ICF Code of Ethics by all Support Personnel.)

(16) 지속적인 개인적, 직업적, 윤리적 개발을 통해 탁월함을 추구합니다.
(Commit to excellence through continued personal, professional and ethical development.)

(17) 나의 코칭 성과 또는 전문 코칭 관계를 손상시키거나, 충돌하거나, 방해할 수 있는 나의 개인적인 제한 또는 상황을 인식합니다. 취해야 할 조치를 결정하기 위해 지원을 요청하고 필요한 경우 즉시 관련 전문 지침을 구할 것입니다. 여기에는 내 코칭 관계의 중단 또는 종료가 포함될 수 있습니다.
(Recognize my personal limitations or circumstances that may impair, conflict with or interfere with my coaching performance or my professional coaching relationships. I will reach out for support to determine the action to be taken and, if necessary, promptly seek relevant professional guidance. This may include suspending or terminating my coaching relationship(s).)

(18) 관련 당사자와 함께 문제를 해결하거나, 전문가의 도움을 구하거나, 일시적으로 중단하거나, 전문적 관계를 종료하여 이해 상충 또는 잠재적인 이해 상충을 해결합니다.

(Resolve any conflict of interest or potential conflict of interest by working through the issue with relevant parties, seeking professional assistance, or suspending temporarily or ending the professional relationship.)

(19) ICF 회원의 프라이버시를 유지하고 ICF 회원 연락처 정보 (이메일 주소, 전화 번호 등)를 ICF 또는 ICF 회원이 승인 한 경우에만 사용합니다.

(Maintain the privacy of ICF Members and use the ICF Member contact information (email addresses, telephone numbers, and so on) only as authorized by ICF or the ICF Member.)

3) 섹션 III - 전문성에 대한 책임
(Section III - Responsibility to Professionalism)

ICF 전문가로서 저는 : (As an ICF Professional, I:)

(20) 내 코칭 자격, 코칭 역량 수준, 전문성, 경험, 교육, 인증 및 ICF 자격 증명을 정확하게 식별합니다.

(Identify accurately my coaching qualifications, my level of coaching competency, expertise, experience, training, certifications and ICF Credentials.)

(21) 내가 ICF 전문가로서 제공하는 것, ICF 가 제공하는 것, 코칭 직업 및 코칭의 잠재적 가치에 대해 진실하고 정확한 구두 및 서면 진술을 합니다.

(Make verbal and written statements that are true and accurate about what I offer as an ICF Professional, what is offered by ICF, the coaching profession and the potential value of coaching.)

(22) 이 강령에서 정한 윤리적 책임에 대해 알아차리고 알려야 하는 사람들과 소통합니다.

(Communicate and create awareness with those who need to be informed of the ethical responsibilities established by this Code.)

(23) 물리적 또는 기타 상호작용을 지배하는 명확하고 적절하며 문화적으로 민감한 경계를 인식하고 설정하는 책임을 집니다.

(Hold responsibility for being aware of and setting clear, appropriate and culturally sensitive boundaries that govern interactions, physical or otherwise.)

(24) 고객(들) 또는 스폰서(들)와의 성적 또는 연애에 참여하지 마십시오. 나는 관계에 적합한 친밀함의 수준을 항상 염두에 둘 것입니다. 나는 문제를 해결하기 위해 적절한 조치를 취하거나 코칭 계약을 취소합니다.
(Do not participate in any sexual or romantic engagement with Client(s) or Sponsor(s). I will be ever mindful of the level of intimacy appropriate for the relationship. I take the appropriate action to address the issue or cancel the engagement.)

4) 섹션 IV - 사회에 대한 책임
(Section IV - Responsibility to Society)

ICF 전문가로서 저는 : (As an ICF Professional, I:)

(25) 지역 규칙과 문화적 관행을 존중하면서 모든 활동과 운영에서 공정성과 평등을 유지함으로써 차별을 피하십시오. 여기에는 연령, 인종, 성별 표현, 민족성, 성적 취향, 종교, 출신 국가, 장애 또는 군대 상태에 따른 차별이 포함되며 이에 국한되지 않습니다.
(Avoid discrimination by maintaining fairness and equality in all activities and operations, while respecting local rules and cultural practices. This includes, but is not limited to, discrimination on the basis of age, race, gender expression, ethnicity, sexual orientation, religion, national origin, disability or military status.)

(26) 다른 사람의 기여와 지적 재산을 인정하고 존중하며 내 자료의 소유권만 주장합니다. 이 표준을 위반하면 제 3 자에 의해 법적 구제를 받을 수 있음을 이해합니다.

(Recognize and honor the contributions and intellectual property of others, only claiming ownership of my own material. I understand that a breach of this standard may subject me to legal remedy by a third party.)

(27) 연구를 수행하고 보고 할 때 정직하고 인정된 과학 표준, 적용 가능한 주제 지침 및 내 능력의 경계 내에서 일합니다.

(Am honest and work within recognized scientific standards, applicable subject guidelines and boundaries of my competence when conducting and reporting research.)

(28) 나와 나의 고객이 사회에 미치는 영향을 알고 있습니다. 나는 "선을 행하는 것"과 "나쁜 것을 피하는 것"의 철학을 고수합니다.

(Am aware of my and my clients' impact on society. I adhere to the philosophy of "doing good" versus "avoiding bad.")

5. ICF 전문가의 윤리서약

(The Pledge of Ethics of the ICF Professional)

ICF 전문가로서 나는 ICF 윤리강령의 기준에 따라 나의 코칭 고객(들), 스폰서(들), 동료 및 일반 대중에 대한 나의 윤리적 및 법적 의무를 이행할 것을 인정하고 이에 동의합니다.

(As an ICF Professional, in accordance with the Standards of the ICF Code of Ethics, I acknowledge and agree to fulfill my ethical and legal obligations to my coaching Client(s), Sponsor(s), colleagues and to the public at large.)

내가 ICF 윤리강령의 일부를 위반하는 경우, ICF 가 단독 재량에 따라 그러한 행위에 대한 책임을 물을 수 있다는 데 동의합니다. 또한, 위반에 대한 ICF 에 대한 나의 책임에는 의무적인 추가 코치교육 또는 기타 교육 또는 ICF 회원 자격 및 / 또는 ICF 자격 상실과 같은 제재가 포함될 수 있다는 데 동의합니다.

(If I breach any part of the ICF Code of Ethics, I agree that ICF in its sole discretion may hold me accountable for so doing. I further agree that my accountability to ICF for any breach may include sanctions, such as mandatory additional coach training or other education, or loss of my ICF Membership and / or my ICF Credential.)

ACE코치 양성과정

Awareness Coaching Expert

1 ▶ 비즈니스 리더의 비전

알아차림코칭센터의 미션은 조직의 리더들에게 코칭리더십을 발휘할 수 있도록 도와주며 궁극적으로는 자신의 다양한 비즈니스경험(영업, 생산, 연구, 기획, 인사, 총무, 운영 등)을 코치로서 사회에 기여할 수 있도록, 즉 퇴직 후에 비즈니스 프로코치로서의 비전을 성취할 수 있도록 도와준다. 그래서 10년 이상의 회사 경력의 중간관리자들에게 ' 작전타임 STOP코칭', '알아차림코칭'과정을 받고 조직에서 코칭 경험을 쌓으면서 한국코치협회의 KAC, KPC자격을 취득할 수 있도록 해준다. 그리고 비즈니스 현장에서 코칭리더십을 탁월하게 발휘하여 성취와 성공 경험을 할 수 있도록 유도한다. 퇴직 후 자신의 경험을 비즈니스 프로코치로서 제2의 커리어를 살아갈 수 있도록 지원한다. 즉 한국코치협회의 KSC자격을 취득할 수 있도록 하며 또한 국제코치연맹의 PCC, MCC자격을 취득하여 진정한 프로페셔널코치로서 사회에 기여할 수 있도록 하는 것이다.

비즈니스 리더의 비전

비즈니스 리더의 두 가지 몰입
- 자신의 변화 체험
- 탁월한 코칭리더십 발휘

입사 10년~25년 → 40~ 50대 → 퇴직 후 20년~30년

조직책임자로서 코칭리더십 발휘 → 퇴직 → 비즈니스 프로코치로 활동 (영업,생산,연구, 스텝 분야별)

- 한국코치협회 KAC, KPC
- 국제코치협회 ACC

- 작전타임 S-TOP 코칭(기본과정)
- 알아차림코칭 (심화과정)
- 코칭력 향상 NLP(역량과정)

- 한국코치협회 KSC
- 국제코치협회 PCC, MCC

- ACE 코칭(ACTP), 150시간
  - 작전타임 S-TOP코칭
  - 알아차림코칭
  - 코칭력 향상 NLP
  - 글로벌코칭역량, APCC자격과정

2 ACE코치 양성과정의 미션과 비전

ACE코치 양성과정의 미션은 세계 인류의 의식혁명에 기여하는 것이다. 왜냐하면 인공지능(AI)이 기계를 지배하는 것에 반하여 인공지능을 다루고 이겨낼 수 있는 것은 인간의 의식혁명에 달려 있다고 생각하기 때문이다. 미래에는 인공지능이 세상을 지배할 것이다. 그리고 인류는 의식혁명으로 인공지능을 통제할 수 있을 것이다. 이것은 지구상에서 인류의 생존 여부와 직결되는 중차대한 미션이다. 인류 의식혁명을 가속화 하기 위해서 ACE코치 양성과정을 운영한다.

이를 위하여 ACE코치 양성과정의 비전은 2050년에 1,000명의 AMCC(Awareness Master Certified Coach), 10,000명의 APCC(Awareness Professional Certified Coach), 100,000명의 ACC(Awareness Associated Certified Coach)자격을 갖춘 코치를 양성하는 것이다.

2020년도부터 ACE코치 양성과정을 본격적으로 운영하고 있다. 2020년은 알아차림코칭센터의 기념비적인 년도가 될 것이다. 2050년까지는 30년이 남았다. 30년 후에는 세상이 실로 엄청 난 변화가 일어날 것이다. 로봇이 인류의 노동을 대체할 것이며 심지어 친구, 연인 등의 역할을 할 것이다. 모든 기계가 로봇과 연결되어서 거대한 네트웍망에서 함께 활동한다. 영화 매트릭스와 같은 시대가 도래할 것이다. 인류는 지구 행성 이외 우주의 행성에서도 살아갈 것이며 깨어난 의식으로 시간 여행도 한다. 상상을 할 수 없을 만큼의 대변혁들이 일어날 것이다. 이러한 변화에 우리가 적극적으로 대비하고 대응해 나가는 것이 요구된다. 알아차림코칭센터는 작은 힘이나마 ACE코치 양성과정으로 인류의 영원한 성장과 번영을 위해서 의식혁명에 이바지하고자 한다.

3 ACE코치 양성과정의 핵심 가치

ACE코치 양성과정으로 인류의 의식혁명에 기여하기 위해서 코치에게 가장 중요한 것은 사랑이다. 사랑으로 자신과 고객을 대한다. 사랑을 바탕으로 유연성, 현존성, 신뢰성의 가치를 장착한다. ACE코치로서의 유연성은 4개의 유연성을 발휘한다. 먼저 생각이 유연하다. 어떤 생각을 하더라도 자기 생각에 집착하지 않는다. 주변 상황에 유연한 생각을 할 수 있다. 생각이 유연해지기 위해서는 자신의 관점과 가치관에서도 유연해져야 한다. 오래된 자신의 관점과 가치관은 쉽게 변하지 않는다. 주변의 상황과 환경이 변화했음에도 자신의 관점과 가치관을 가지고 생각하고 소통하면서 어려움을 겪는다. ACE코치는 자신의 관점, 신념과 가치관에서 벗어나서 주변 상황과 환경을 알아차린다. 알아차리면 자신의 관점, 신념, 가치관을 집착하지 않게 되며 유연해진다. 자기 생각, 관점, 신념, 가치관으로부터 자유로워지고 유연해지면 결국 행동도 유연해진다. 강물이 바다로 흘러가듯이 행동이 자연스럽다.

이러한 자연스러움은 현재에 온전히 존재함으로써 가능하다. 지금 여기에서 온전히 깨어 있을 때 가능하다. 지금 여기에 온전히 깨어 있을 때 마음도 현존한다. 마음이 현존한다는 것은 동요가 없다는 것이다. 고요함이다. 마음이 현존하면 행동도 자연스럽게 현존 상태가 유지된다. 즉 물이 흘러가듯이 자연스러운 행동이 일어난다. 이럴 때 강의, 코칭, 면담, 회의 등의 과정에서 현존이 일어난다. 과정이 자연스럽게 진행된다. 자기 마음, 행동 그리고 자신이 행하는 과정에서 현존이 일어나면 주변 환경에서도 현존이 일어난다. 환경과 연결되어 하나가 되어 함께 움직인다.

탁월한 코치는 자기 자신과 래포가 잘 형성되어서 자기 생각, 행동, 신념, 가치, 정체성과도 신뢰롭다. 또한 고객과의 신뢰가 좋다. 함께 하는 파트너와의 신뢰도 충분하다. 가장 중요한 것은 자신의 존재감에 대해 무한히 신뢰한다.

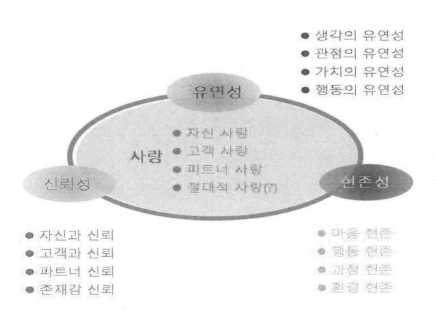

ACE코치는 세 가지 핵심역량을 통합적으로 발휘한다. 가장 기본적인 역량은 국제코치연맹(ICF)의 8가지 핵심역량이다. "1. 윤리적 실천을 보여준다. 2. 코칭 마인드셋을 구현한다. 3. 합의를 도출하고 유지한다. 4. 신뢰와 안정감을 조성한다. 5. 현존을 유지한다. 6. 적극적으로 경청한다. 7. 알아차림을 불러일으킨다. 8. 고객의 성장을 촉진한다."역량이다. 두 번째로 필요한 역량은 알아차림 역량이다. 알아차림 역량에는 S-TOP, PACING, 의도화, 미해결과제 해소, 유연성의 역량이다. 세 번째는 NLP 활용역량이다. NLP는 습관 변화, 행동 변화 등 우리들의 성장에 매우 탁월한 기법이다. 특히 탁월한 코치는 민감성, Visioning, 메타모델, 밀턴모델, 모델링, 앵커링, 시간선, 3자 입장 등을 코칭에 적극적으로 활용한다.

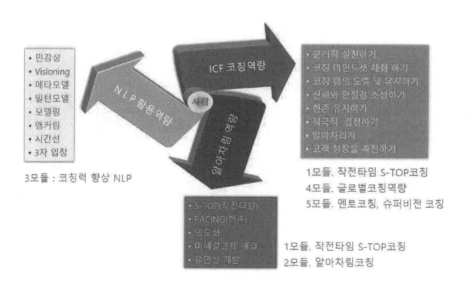

- 민감성
- Visioning
- 메타모델
- 밀턴모델
- 모델링
- 앵커링
- 시간선
- 3자 입장

N L P 활용역량

사람

ICF 코칭역량

알아차림역량

- 윤리적 실천하기
- 코칭 마인드셋 체화 하기
- 코칭 합의 도출 및 유지하기
- 신뢰와 안정감 조성하기
- 현존 유지하기
- 적극적 경청하기
- 알아차리기
- 고객 성장을 촉진하기

3모듈 : 코칭력 향상 NLP

1모듈. 작전타임 S-TOP코칭
4모듈. 글로벌코칭역량
5모듈. 멘토코칭, 슈퍼비전 코칭

- S-TOP(작전타임)
- PACING(현존)
- 의도화
- 미해결과제 해결
- 유연성 개발

1모듈. 작전타임 S-TOP코칭
2모듈. 알아차림코칭

2 ｜ ACE코치 양성과정 개요

1 ▶ 교육 목적

ACE 코칭 프로그램은 코치 자신이 사랑의 실체임을 깨닫고 사랑의 바탕위에서 고객이 바라고 원하는 것을 고객이 원하는 시점에 고객이 원하는 방식으로 성취하게 하는 코칭역량을 배양하기 위한 과정이다.

2 ▶ 교육 목표

코치가 사랑이 충만한 상태에서 고객의 변화와 성장을 탁월하게 코칭할 수 있도록 하는데 있다. 그렇게 하기 위해서,

1) 코치는 고객이 변화의 과정에서 힘들어 할 때 작전타임 S-TOP코칭 할 수 있다.
2) 자신과 고객의 생각, 감정, 의도, 욕구, 가치, 존재감, 그리고 환경을 있는 그대로 알아차린다.
3) 자신의 순수한 존재감을 체험한다.
4) 순수한 존재감으로 코칭할 수 있다.
5) 코칭 성과를 배가시키기 위해서 코칭할 때 NLP Tool을 활용할 수 있다.
6) 코칭을 체험한 경험으로 ICF 8가지 핵심 코칭역량을 설명할 수 있다.
7) Observed Coaching세션에서 PCC평가 기준으로 타인의 코칭을 관찰하고 피드백할 수 있다.
8) 코칭과제가 주어지면 PCC 수준으로 코칭 할 수 있다.

기간은 1년이며 시간은 총 150시간이다. ACE 1, 작전타임 STOP코칭이 24시간, 알아차림코칭이 54시간이다. ACE 2, 코칭역량 향상을 위한 NLP가 32시간이며, 글로벌 프로코칭역량은 24시간이다. ACE 3은 APCC 인증과정으로서 Observed Coaching 6시간. Mentor 과정이 10시간이다.

4   ACE코치 양성과정 Curriculum

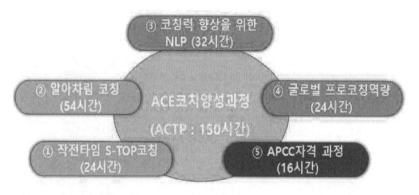

ICF International Coaching Federation	국제코치연맹 자격인증		KCA (사)한국코치협회	한국코치협회 자격인증
A C C	코칭 실습 100 시간 + 과제물		K A C	코칭 실습 50 시간
	교육시간 60 시간 이상 (① + ② + ③ + ④ + ⑤)			교육 20 시간 (해당 교육모듈 : ①)
P C C	코칭 실습 500 시간 + 과제물		K P C	코칭 실습 200 시간
	교육시간 125 시간 이상 (① + ② + ③ + ④ + ⑤)			교육 60 시간 (해당 교육모듈 : ① + ②)
M C C	코칭 실습 2,500 시간 이상		K S C	코칭 실습 800 시간
	교육시간 200 시간 이상 (알아차림코칭+ ACTP 1 수료)			교육 150시간 (해당 교육모듈 : (① + ② + ③ + ④ + ⑤)

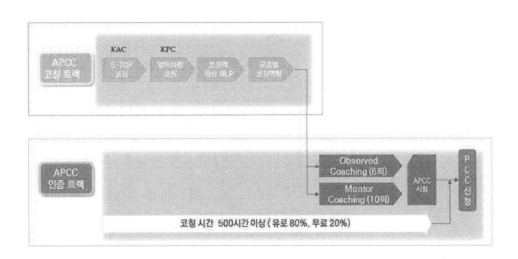

5 ▷ PCC 자격 인증 Roadmap

APCC 코칭 트랙
KAC — S-TOP 코칭
KPC — 알아차림 코칭 → 코칭역량 향상 NLP → 글로벌 코칭역량

APCC 인증 트랙
Observed Coaching (6회) / Mentor Coaching (10회) → APCC 시험 → PCC 신청

코칭 시간 500시간 이상 (유료 80%, 무료 20%)

6 ▷ ACE코치 양성과정 특징, 기대 및 성과

특징
- 일상 생활에서 멘탈 훈련 특화
- 작전타임 S-TOP코칭 (5분, 10분, 20분 등 짧게 코칭가능)
- 코칭을 직접 체험해봄 (그룹코칭, 개별코칭, 멘토코칭)
- 코칭을 직접 해봄 (그룹코칭, 개별코칭)
- 그룹코칭과 개별코칭을 직접 관찰함

기대
- 한국코치협회 KAC, KPC자격 취득 가능
- 국제코치연맹 ACC, PCC자격 취득 가능
- 국제코치연맹 멘토코치(PCC)로부터 멘토코칭과 슈퍼비전 코칭 받게 됨

성과
- 일상생활에서 알아차림이 잘 일어남
- 자신의 업무에서 탁월한 성과률 도출함
- 자신의 미션대로 제2의 삶을 펼쳐나감

   게슈탈트 심리학(Gestalt psychology , 形態心理學)은 심리학의 한 학파이다. 인간의 정신을 부분이나 요소의 집합이 아니라 전체성이나 구조에 중점을 두고 파악한다. 이 전체성을 가진 정리된 구조를 독일어로 게슈탈트(Gestalt)라고 부른다.(위키 백과) 게슈탈트 심리치료는 게슈탈트 심리학을 활용하였다. 게슈탈트 심리치료는 1951년 독일의 Fritz Perls가 창안한 것으로 "전체", "형태" 등의 뜻을 지닌 "게슈탈트"라는 개념은 지각심리학에서 치료적인 영역으로 확장됨으로써, "개체가 자신의 욕구나 감정을 하나의 의미 있는 행동동기로 조직화하여 지각한 것"을 의미한다. 예를 들어, 시원한 계곡물에 발을 담그고 쉬고 싶은 것, 하얀 쌀밥을 먹고 싶은 것, 내가 좋아하는 철수와 친하게 지내고 싶은 것 등이 게슈탈트이다.

   이때 게슈탈트란 단순히 욕구와 감정이 아니라, 자신이 처한 상황과 환경을 고려하여 그 상황에서 실현 가능한 행동 동기로 지각한 것을 말한다. 그렇다면 왜 게슈탈트를 형성하는 것일까? 이는 자신의 욕구나 감정을 유의미한 행동으로 만들어서 실행하여 완결 짓고자 한다. 즉 환경과의 접촉을 통해서 욕구나 감정을 해소한다. 예를 들어서, 목이 말랐을 때 "시원한 한 잔의 물을 마시고 싶다"라는 게슈탈트를 알아차린 후 냉장고에 있는 차가운 물(환경)을 마시는(접촉)것으로 갈증을 해소한다. 이러하듯 우리가 자신의 욕구를 해소하기 위해서 환경과의 접촉으로 자신의 게슈탈트가 해소되면 형성된 게슈탈트는 배경(무의식)으로 사라지고, 다시 새로운 게슈탈트가 형성된다. 우리는 배경으로부터 분명한 게슈탈트를 형성해내어 전경으로 떠올리고, 이를 환경과의 상호작용을 통해 해결하여 배경으로 사라지게 하고, 또다시 새로운 게슈탈트를 형성하여 전경으로 떠올리는 순환 과정을 되풀이한다.

게슈탈트가 생성되고 해소되는 반복과정을 "게슈탈트형성과 접촉주기"라고 부른다. 진커(Zinker,1977)는 게슈탈트형성과 접촉주기를 아래의 6단계의 그림으로 도식화하여 설명하였다. (알아차림을 게슈탈트형성으로 표기함 ; 김만수코치, 2017)

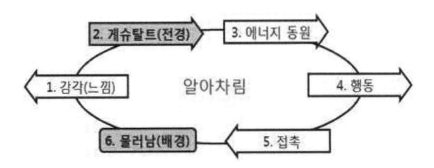

우리는 먼저 배경(몸, 무의식)에서 나의 욕구나 감정을 신체감각으로 인지하고 게슈탈트로 형성하여 전경으로 떠올린다. 이를 해소하기 위해 에너지(흥분)를 동원하여 행동으로 옮긴 후, 마침내 환경과의 접촉을 통해 욕구를 해소한다. 그러면 그 게슈탈트는 배경으로 물러나 사라지고 휴식을 취하게 된다. 잠시 후 다시 새로운 욕구나 감정이 배경으로부터 떠오르고 이를 게슈탈트를 형성하고, 해소하는 새로운 게슈탈트 형성과 접촉의 주기가 일어난다. "알아차림"은 우리 자신의 욕구나 감정을 지각한 다음 게슈탈트로 형성하여 전경으로 떠올리며, 행동으로 접촉하여 게슈탈트를 해소하는 전 과정에서 일어난다. 알아차림이 잘 일어나면 전경과 배경의 교체가 원활해지고 삶이 생생해지고 풍요로워진다.

이러한 알아차림은 우리가 태어날 때부터 가지고 있는 고유한 능력이다. 건강한 사람은 환경과의 교류를 통해서 게슈탈트 형성과 접촉 주기가 자연스럽게 반복되면서 성장한다.

크리스천 코칭

참고 문헌

1. 성경 <개역성경>

2. (사)한국코치협회 KCA 코칭역량 해설집. 2022.6

3. 김학중 목사<코칭리더십으로 교회살리기> 2000

4. 김정규 <게슈탈트심리치료> 2009

5. 게리콜린스 <크리스천코칭> 2004

6. 존휘트모어 <성과향상을 위한 코칭리더십> 2007

7. 윤하준 <크리스천 코칭 워크북> 2019

8. 한기채 목사

   <예수님의 위대한 질문, 하나님의 위대한 질문>2013,2018

9. 홍광수 <관계> 2001

10. 윌리엄 몰튼 마스톤(William Moulton Marston)의 DISC 모델

11. 국민일보 미션라이프

12. 작전타임 STOP코칭 <김만수,손용민,김기호> 2021

13. WITH CHRISTIAN 작전타임 STOP 코칭(김만수, 손용민> 2022